Louise Bourgeois

Sculptures, environnements, dessins
1938-1995

M ARC M Musée d'Art moderne de la Ville de Paris
23 juin – 8 octobre 1995

PARIS musées   É D I T I O N S   D E   L A   T E M P Ê T E

Commissaire général
Suzanne Pagé

Commissaire
Béatrice Parent

avec la collaboration de
Raphaële Jeune
et l'assistance de
Véronique Bérard-Rousseau

Secrétariat général du musée
Frédéric Triail

Administration de l'exposition
Annick Chemama
Jean-Christophe Paolini

Coordination technique
Guilaine Germain

Architecture
Jean-François Bodin
assisté de
Sylvie Joda

Installation
Equipe technique du musée
sous la direction de
Christian Anglionin

Régie des œuvres
Bernard Leroy, Alain Linthal

Service de presse
et de communication
Dagmar Fregnac, Marie Ollier,
Véronique Prest

Paris-Musées
Evelyne d'Aspremont
Pascale Brun d'Arre
Cécile Guibert
Sophie Kuntz
Annie Pérez
Arnauld Pontier
Nathalie Radeuil

Editions de la Tempête
Harry Jancovici
Sandro Rumney

Secrétariat de rédaction
Catherine Chasseignaux-
Lannoy

Traductions
Annie Pérez

Conception graphique
du catalogue
Susan Walker

REMERCIEMENTS

Louise Bourgeois : Sculptures, environnements, dessins, 1938-1995 a été conçue à partir de l'exposition *Louise Bourgeois : The Locus of Memory, Works 1982-1993* réalisée par le Brooklyn Museum, New York, qui a été montrée à la Corcoran Gallery of Art de Washington, D.C., à la Galerie Rudolfinum de Prague et sera présentée aux Deichtorhallen de Hambourg puis au Musée d'Art Contemporain de Montréal début 1996. Nous remercions très vivement Robert T. Buck, directeur du Brooklyn Museum et Charlotta Kotik, commissaire, pour avoir suscité ce projet et pour l'organisation efficace de l'itinérance de l'exposition.

Pour Paris, l'ARC Musée d'Art Moderne a voulu compléter l'exposition du Brooklyn Museum par un choix à caractère rétrospectif d'œuvres plus anciennes et des sculptures les plus récentes.

Nous remercions tous ceux qui par leurs prêts ont permis la réalisation de cette exposition et tout particulièrement Robert Miller, Wendy Williams, Diana Bulman de la Robert Miller Gallery, New York, et Pamela S. Johnson du Brooklyn Museum,

les responsables des institutions et des galeries :
The Carnegie Museum of Art, Pittsburgh
Corcoran Gallery of Art, Washington, D.C.
Kunstmuseum, Berne
Musée national d'art moderne, Centre Georges Pompidou, Paris
The Museum of Modern Art, New York
National Gallery of Victoria, Melbourne
The Solomon R. Guggenheim Museum, New York
The Tate Gallery, Londres
Ginny Williams Collection, Denver, Colorado,

Galerie Karsten Greve, Cologne, Paris, Milan
Galerie Lelong, Zurich
Robert Miller Gallery, New York,

ainsi que :
Caroline et Dick Andersen, Greenwich, Connecticut
Collection Becon Ltd, Athènes
Peter Blum Edition, New York
Alain Bourgeois, New York
Louise Bourgeois, New York
Emily Fisher Landau, New York
Jean Frémon, Paris
Jerry Gorovoy, New York
Agnes Gund, New York
Katherine et Keith Sachs, Horsham, Pennsylvanie
Georg Wolf, Cologne.

Nous remercions également :
pour leur contribution au catalogue, Lynne Cooke, Alain Cueff et Robert Storr,

et aussi :
Alain de Greef pour nous avoir permis de diffuser en avant-première le film *Chère Louise* de Brigitte Cornand, produit par Canal + et les films du Siamois,
Doreen Kilbane et Zoe Ingham pour nous avoir obligeamment prêté une copie du film *Louise Bourgeois* produit et réalisé par Nigel Finch pour Arena / BBC Television, Londres.

L'exposition *The Locus of Memory* a reçu le soutien de Philip Morris Companies Inc. Elle a en outre bénéficié du concours du National Endowment for the Arts, de Maureen et Marshall Cogan et la '21' International Holding, Inc. Foundation, ainsi que du New York State Council on the Arts.

Sommaire

Préface

On l'a dit, on le redira, la reconnaissance mul-
tiple – Bibliothèque nationale de France, Centre
Georges Pompidou, MAM, etc. – que vaut à
Louise Bourgeois, en France, cette année 1995,
est tardive et cette artiste majeure de la scène
contemporaine, née à Saint-Germain-des-Prés
(1911) et qui a quitté Paris – après un passage à
la Sorbonne et la fréquentation de divers ateliers
– pour les USA depuis 1938, serait encore largement ignorée ici sans la présentation en 1989,
au Musée d'Art Contemporain de Lyon, d'une
exposition itinérante initiée en Allemagne.

« Toute mon inspiration vient de mon enfance, de mon éducation, de la France, à un certain moment de ma vie... Mais je n'ai aucun sentiment négatif sur sa non-reconnaissance. C'est,
au contraire, de n'avoir pas été reconnue que je
suis devenue si acharnée[1]. » Si la « rage » est, en
effet, au cœur de son travail, cette ignorance
publique l'aura sans doute entretenue et, avec
elle, le secret, la pudeur, sans parler de l'humour
– un humour de survie, « énorme », philoso-
phique –, sollicités ici pour retourner une situation, selon une stratégie supérieure de l'ambivalence propre à la femme et à l'artiste Louise
Bourgeois jouant avec maîtrise de la dénégation
et du défi. « Janus », Duelle.

Son travail lentement reconnu aux USA,
grâce aux artistes – et plus tard aux féministes –
depuis la fin des années 1970 est, en tous les
cas, au cœur d'une actualité brûlante chez les
plus jeunes dont elle a largement anticipé les préoccupations – du sujet à « l'abject » –, et les
obsessions – le corps, le sexe, son ambivalence,
la souffrance, l'angoisse, la peur, la peur, la
peur... De même, ces artistes d'aujourd'hui
saluent-ils chez Louise Bourgeois une attitude.
Nette, résolument affranchie de toutes les

conventions, sociales, formalistes, etc., elle fait
face sans ciller et va droit à son propre but, ce qui
donne à ses œuvres qui ne craignent pas la provocation, une rare présence sensuelle, non
dénuée de vulnérabilité, génératrice d'un trouble
aussi obscur dans ses ramifications qu'est nette
l'exigence, antinomique, de « contrôle », comme
seul moyen « d'avoir prise ».

L'exposition rétrospective réunie ici recoupe
cinq décennies de création avec quelque cin-
quante sculptures-installations et quatre-vingts
dessins. Elle se dévide à rebours. Hôtesse d'ac-
cueil, dans la salle Dufy, l'*Araignée* géante
(*Spider*, 1995) et sa famille : la fileuse, la tendre,
le refuge/le monstre ? la dévoreuse ? le cauche-
mar ? Menaçante, répulsive, « pour d'autres »,
Louise Bourgeois la veut métaphore, « ambiva-
lente peut-être », de la mère, de sa mère protectrice, de ses enfants, de son milieu familial et de
sa pratique tisserande d'origine. La mère, la
sœur, la fille : trilogie centrale de sa thématique.
C'est aussi l'une des versions de la maison, de
l'abri, du nid, omniprésents dans l'œuvre de l'artiste, depuis les premiers dessins présentés ici
(1938), jusqu'aux *Lairs* (années 1960-1970),
aux *Maisons fragiles* (1978) et aux *Cells* (années
1990), si emblématiques, par leur polarité carac-
téristique, de Louise Bourgeois, « chasseur »/gibier,
menacée/menaçante. Piégée, au cœur même de
l'exposition, *La Destruction du père* (*The
Destruction of the Father*, 1974), fantasme inau-
gural et cannibale explicite sur lequel l'artiste et
ses commentateurs se sont abondamment livrés,
se fonde sur des expériences et émotions de l'ado-
lescente Louise dont l'effet dévastateur a nourri
toute l'œuvre. La formidable audace de la
démonstration (matériaux triviaux et mimétiques,

littéralité sauvage et violence première du pro-pos) dit la mesure du traumatisme « de la désin-tégration, de la destruction totale » et la puissan-ce de répartie de l'agressée dans le strict ajuste-ment à la forme, la noirceur, l'enveloppement gluant de ses angoisses. La cruauté, aussi, qui, restituant la barbarie de l'émotion origi-nelle, la recrée pour la dépasser. « Catharsis », dit-elle.

Remontant le temps à partir de l'*Arche de l'hystérie* (*Arch of Hysteria*, 1992) (masculine, bien sûr), plaisir/douleur, s'ordonne une série de « Cellules » (unité organique/solitude) présentée pour la première fois en France : *Cell (Eyes and Mirrors)* (1989-1993)*, Cell (Glass Spheres and Hands)* (1990-1993)*, Cell I, Cell II, Cell III, Cell IV, Cell VI* (1991), jusqu'à *Articulated Lair* (1986). Tanières/ateliers/maisons, ouvertes/fer-mées, où, à l'abri-à l'affût, l'artiste traite ses han-tises, moteurs, adorés/haïs, de toute son œuvre, sous forme de fragments de corps et d'objets-symboles, trouvés, fabriqués, manipulés, cares-sés, violentés, protégés.

Dans l'espace II, se poursuit la remontée du temps depuis les *Paysages* (*Soft Landscape II,* 1967) et personnages aux protubérances mammaires et phalliques le plus littéralement explicites, jusqu'aux premières *Figures* en bois (années 1940-1950) avec leur équilibre fragile et leur assise précaire. Entre temps, *No Exit* (1988) rappelle, dans la dramatique de son dépouillement, la tragédie de la butée intime.

Au cœur du dispositif et maîtresse des lieux, dans sa vulnérabilité dansante même, oscillante et insaisissable, la *Spiral Woman* (1984), « contrôle le chaos ». Appel. Sans pesanteur, le désarroi s'édicte : *I Love You Do You Love Me* (1987).

Direct l'aveu, nu, simple, vrai, jamais victi-misé, atteint le spectateur, avec la liberté que l'ar-tiste s'octroie vis-à-vis des normes, des injonc-tions, de toutes les orthodoxies y compris fémi-nistes et bien sûr formelles : « je fais cavalier seul ». Vitales, les solutions inventées par le sculpteur ébranlent chacun au plus près et au plus profond, par l'emprise organique d'une sur-présence érotique dont « l'eccentric » singularité plastique échappe à toute ligne (quelles que soient les connexions qu'on y détecte avec l'art d'un moment dont elle a côtoyé tous les grands mouvements), pour imposer quelque chose d'ir-réductiblement sauvage et personnel. Ne s'inter-disant rien, ignorant les limites, passant d'un registre à l'autre, l'artiste, stimulée par l'impos-sible, s'essaie à tout (taille, modelage, fonte, assemblage, etc.), avec une intelligence très pragmatique des matériaux comme outils (après le bois, le plâtre, le latex, le bronze, le plomb, le caoutchouc, le marbre, l'objet trouvé, etc.), les provoquant eux-mêmes dans leur convention ou leur banalité pour de nouvelles configurations, jouant sur les oppositions et toujours les ambiva-lences : le mou/le dur, le poli/le rugueux, le flui-de/le construit, le noble/le commun, l'urbain/le barbare...

Mue par une lucidité, une énergie et une insolence formidables, l'artiste, le personnage, ose tout avec l'audace de l'intrépide « jeune fille du Lycée Fénelon » qu'elle veut rester : secrète – oh combien – malgré les aveux, pudique mal-gré l'énormité de la provocation, « taquine » jus-qu'à la corrosion, elle dit (tout ?) avec une scien-ce particulièrement assassine du mot dans son ambiguïté (cf. *Fillette,* 1968) et une précision sécative à la mesure d'un humour aussi explosif que sa violence est implosive. Souveraine « coquetterie », elle cache les peurs qu'elle livre, les cultive en cachette, sciemment. Folle seule-ment, cette liberté-là dont on devine le prix

– *Depression Woman* (1949-1950) – et l'oscillant équilibre. D'où la volonté affirmée de faire « juste », « exact » et la recherche du « raisonnable » correctif de la provocation affichée. Malice non exclue et séduction en plus, l'une et l'autre à l'œuvre en permanence sur le mode offrande-retrait.

Cette œuvre, que l'artiste et ses commentateurs livrent si volontiers au biographique, préserve un mystère au plus intime avec une formidable force sensuelle comme parade. Par contraste et renforçant l'exhibition déclarative, la frontalité des attaques, « la tenue » volontariste, génèrent une tension particulière qui assure une puissante expressivité liée à la totale et « nécessaire » libération des potentialités du matériau plus qu'à une quelconque révolution formelle. C'est la liberté même que l'artiste se donne, à l'arraché, qui insuffle aux formes une énergie neuve, affranchie. Ce défi-là, avec une ténacité toute juvénile – « Je suis une femme agrippée et enragée » –, est à la mesure de l'explosion créative du sculpteur Louise Bourgeois aujourd'hui.

Sous le titre de « The Locus of Memory, Works 1982-1993 », la partie la plus récente de cette exposition a été présentée pour la première fois au Brooklyn Museum à l'initiative de son directeur Robert T. Buck et de sa collaboratrice Charlotta Kotik, commissaire, et a fait l'objet d'une manifestation itinérante. Qu'ils soient assurés de notre gratitude pour leur très amicale collaboration.

Pour Paris, cette présentation s'est voulue rétrospective et a été complétée par un choix significatif de sculptures et de dessins effectué par Béatrice Parent assistée de Raphaële Jeune et, pour la réalisation, de Véronique Bérard-Rousseau.

La collaboration de Jerry Gorovoy a été déterminante durant toute la préparation et la réalisation de cette manifestation et du catalogue. Qu'il trouve ici l'expression de nos chaleureux remerciements pour ses conseils, sa patience et son engagement, remerciements auxquels il convient d'associer Jean-Louis Bourgeois.

Nous adressons toute notre gratitude aux responsables de la galerie Robert Miller (New York) pour leur assistance ainsi qu'à ceux des galeries Karsten Greve et Lelong (Paris-Zurich).

Nous sommes très reconnaissants à Lynne Cooke, Alain Cueff et Robert Storr dont les analyses apportent une contribution essentielle au catalogue.

Notre vive reconnaissance va à tous les prêteurs pour leur collaboration à une exposition impossible sans leur très généreuse compréhension.

Que l'artiste, surtout, dont la rencontre impressionne durablement la pensée et la sensibilité de ceux qui ont eu le privilège d'en bénéficier, ait ici l'assurance de notre admiration ainsi que de notre reconnaissance pour les créations qu'elle a bien voulu concevoir spécialement pour cette manifestation.

SUZANNE PAGÉ

1. La plupart des citations sont extraites d'un entretien avec l'artiste, mai 1995.

Louise Bourgeois
ou l'insolente expérience

Dès son arrivée en 1938 aux États-Unis qui marque ses vrais débuts d'artiste, Louise Bourgeois va, dans un premier temps par le biais du dessin et de la peinture, ensuite par celui de la sculpture, qui sera sa forme d'expression privilégiée car plus adéquate pour exprimer les affects de manière concrète et palpable, n'avoir de cesse d'attaquer de front ce qui constitue la réalité de la vie : c'est-à-dire son expérience.

Parce que sa peinture, tout en exprimant déjà une personnalité très singulière, peut rappeler par certains aspects le surréalisme, parce qu'elle connaît et fréquente, entre autres, Miró, Tanguy, Breton, exilés à New York, on accole son nom à celui des surréalistes, rapprochement auquel Louise Bourgeois préfère très vite couper court. D'une part, elle affirme ainsi d'emblée une farouche indépendance qu'elle ne cessera jamais de revendiquer – elle ne se laisse pas plus embrigader par l'expressionnisme abstrait –, d'autre part, elle signale son désir de ne pas s'enfermer dans une problématique trop littéraire qui ne la concerne qu'à moitié, mais plutôt celui de creuser inlassablement tout ce qui fait qu'un être humain est une individualité, mais qu'il exprime aussi l'universalité de l'Être, dans son identité sexuelle, dans le non-dit de son vécu, dans l'intensité de ses émotions, dans son rapport à l'autre et au quotidien.

En 1949, Louise Bourgeois dont c'est la troisième exposition personnelle, montre pour la première fois des sculptures à la Peridot Gallery. Ces sculptures sont étranges : en bois peint, fixées sur un socle pour des raisons de stabilité – à l'origine, l'artiste aurait préféré les ficher directe-ment dans le sol –, elles évoquent des figures mythiques issues de lointaines cultures ; groupées les unes auprès des autres, elles doivent, selon l'artiste, se soutenir et s'entraider.

Leurs titres parlent de problèmes relationnels : *Persistent Antagonism* (Antagonisme persistant, 1947-1949), *Dagger Child* (Enfant poignard, 1947-1949), celui qui d'après Louise Bourgeois a le pouvoir de blesser la mère ; des événements de la vie : *Pregnant Woman* (Femme enceinte, 1947-1949) ; du couple : *Two Figures* (Deux figures, 1949), *Listening One* (Celui [ou celle] qui écoute, 1947-1949) ; des gens aimés ou des amis : *Portrait of Jean-Louis* (1947-1949), *Portrait of C.Y.* (1949-1950).

Monolithiques, ces sculptures dans leur rassemblement, sont cependant intrigantes, s'apparentant plutôt à des personnages qu'à des signes abstraits, concrétisations du souvenir d'une famille abandonnée et de l'éloignement, tant géographique – l'artiste est une jeune exilée – que psychologique, celui dû à la difficulté de communiquer, même avec ses plus proches.

En même temps, elles énoncent clairement le principe que la sculpture est une affaire d'extension dans l'espace, de revendication d'un territoire autonome, principe que l'artiste reprendra continuellement et qui culminera avec les *Cells* (cellules) des années 1990.

Si, dès cette période, le biographique joue un rôle important dans le processus de création, il n'est qu'un moteur, celui destiné à ancrer l'œuvre dans le réel, sous le couvert d'un récit personnel.

Se méfiant des théories et des mots, l'artiste préfère s'abriter derrière le leurre de son roman familial pour débusquer à son aise la réalité du mécanisme créateur, comme celle de l'être humain dans son corps et dans son esprit, considérant l'art comme un instrument d'investigation et de connaissance destiné à transformer le personnel en général.

Curieusement, la fonction protectrice de la biographie de l'artiste va en quelque sorte trouver sa forme métaphorique dans des sculptures des années 1960, désignées sous le terme générique de *Lair* (Tanière).

Ces œuvres, dont l'expression ultime sera le grand environnement *Articulated Lair* (Tanière articulée, 1986), marquent une rupture avec les précédentes.

Du rigide on passe à l'organique, à travers l'utilisation de matériaux plus malléables comme le plâtre, puis le latex ; de l'espace ouvert des figures en groupe, on passe à celui clos sur lui-même des formes en abri dans lesquelles sont ménagées des ouvertures pour éviter l'enfermement.

Fée couturière (1962), en plâtre blanc, évocation du métier de restauratrice de tapisseries de la mère de l'artiste, fait penser par sa configuration à un refuge pour oiseaux. Au contraire *Lair* (1963), en latex sombre, annonce, par sa forme en repli équivoque et tant soi peu scatologique, les œuvres à venir dont on ne peut dire précisément ce qu'elles sont. Cette période est capitale : les connotations sexuelles et psychanalytiques se précisent entre l'ambiguïté : *Le Regard* (1966) – on pense à l'univers de Georges Bataille – et la provocation faussement ingénue de *Fillette* (1968), phallus en latex que l'on suspend et qui aura une très grande résonance par son incroyable audace. Quel artiste en effet aurait osé avec autant de force et sans ambages représenter ce mâle attribut ? D'une seule œuvre, avec désinvolture et humour, Louise Bourgeois met à bas des siècles de dogmatisme du savoir et du pouvoir masculins ; elle ren-

chérit en soulignant qu'elle ne lui fera pas de mal, qu'il est comme un enfant que l'on peut prendre dans ses bras et caresser. On comprend l'intérêt des féministes américaines pour son œuvre !

Moins directes, plus ambiguës, *Soft Landscape II* (Paysage doux II, 1967) et *Cumul I* (1969) sont considérées par l'artiste respectivement comme un paysage (celui de son enfance dans les Hauts-de-Seine) et comme des nuages (en référence au cumulus), mais derrière ces visions personnelles, il est difficile cependant de ne pas voir des allusions à des organes sexuels indéfinis. Ainsi, Louise Bourgeois met en place dans ces deux sculptures, aussi belles que troublantes, ce qui va caractériser son œuvre à venir : le refus du défini, de l'établi et du stable (déjà présent dans l'équilibre précaire des premières sculptures). Elle réaffirme que l'art n'est pas fait de certitudes, d'énoncés définitifs mais au contraire de doutes, d'interrogations permanentes et de tentatives d'élucidation du réel. Par ailleurs, une fois la déclaration de *Fillette* faite, elle tente de ne plus se laisser limiter par l'identité sexuelle, mais de passer outre, pour explorer et exploiter librement l'identité de l'un et de l'autre, masculin et féminin confondus, dans leur opposition et dans leur complémentarité.

Ajoutons que les œuvres de cette période trouvent leur écho dans les mouvements artistiques contemporains américains. La contradiction entre les matériaux durs et les formes relâchées de *Soft Landscape II* (albâtre) et de l'imposant *Avenza Revisited II* (1968-1969, bronze) rappelle les sculptures molles du pop-artiste Claes Oldenburg, mais aussi l'«Anti-Form» qui préconise à la fin des années 1960 le retour à l'organique, au souple et à l'informe, en réaction à la rigidité de l'orthodoxie minimaliste. Souvenons-nous qu'en 1966, Louise Bourgeois expose aux côtés de Bruce Nauman et d'Eva

Hesse («Eccentric Abstraction» organisé par Lucy Lippard) et il est indéniable qu'entre l'artiste expérimentée et les débutants s'instaurent de stimulants échanges, l'artiste étant toujours au fait des courants artistiques tout en préservant son indépendance, autant d'esprit que de style.

Avec *The Destruction of the Father* (La Destruction du père, 1974), Louise Bourgeois crée une œuvre paroxystique dans la lignée des précédentes, mais à une échelle monumentale, et avec laquelle elle entre de «plain-pied» dans le symbolique et le refoulé.

D'un traumatisme de son enfance (la trahison et la vanité paternelles), elle fait un environnement monstrueux, théâtral et mystérieux, hésitant entre une gigantesque mâchoire et un sexe féminin dévorant. *La Destruction du père* n'est pas seulement dans le droit fil des théories freudiennes, elle exprime comme *Fillette* avec violence et sans vergogne, le désir crucial de l'artiste de s'affranchir de toute dépendance et relation contraignantes, la volonté très forte d'être offensive et active pour ne pas se laisser dévorer par l'autre et pour «pénétrer» le réel.

L'ambiguïté formelle et le caractère innommable (au sens premier du terme) des œuvres précédemment citées va marquer la décennie suivante particulièrement prolifique. Ainsi *Nature Study* (1984), créature hybride, mi-animal, mi-mâle, mi-femelle, où Louise Bourgeois, se plaisant à mêler les genres, revient sur la figure sacrifiée du père symbolisée par une longue queue en forme de pénis et, tout en lançant un défi à l'esprit de rationalisation, souligne une fois de plus l'ambivalence de l'être humain.

Au milieu des années 1980, avec *Articulated Lair* et *No Exit* (Sans issue, 1988), Louise Bourgeois renoue avec l'œuvre environnementale annoncée par *La Destruction du père*, qui permet d'insister sur la thématique mais surtout d'impliquer plus directement le spectateur.

No Exit, comme son titre l'induit, ne propose pas d'échappatoire. Escalier en bois, dont l'érection est soulignée par deux grosses boules, entouré d'une enceinte également en bois, il n'aboutit nulle part. On bute contre l'angoisse et l'absurde. Si l'artiste préfère parler de tensions psychologiques personnelles plutôt que relationnelles, déclarant que l'enfer est en nous, et non les autres comme l'affirmait Jean-Paul Sartre, elle apporte néanmoins une note d'espoir en suspendant dans l'espace interne deux cœurs en caoutchouc bleu pâle. Une manière poétique de dire, en contraste avec la violence du propos, que l'amour de l'autre est primordial.

Les *Lairs* et *No Exit* symbolisent la dualité constante intérieur/extérieur, celle de la maison et du quotidien et celle de l'atelier et de la création, mais aussi celle du repli sur soi et du rapport à l'autre, celle de l'intériorisation des émotions et de l'extériorisation des sentiments. Tout ceci va aboutir à une très importante série : les *Cells*, qui vont synthétiser tous ces éléments et constituer une sorte de dialogue entre elles, dans l'esprit des premières sculptures.

Chaque *Cell* forme une entité autonome, délimitée d'abord par plusieurs portes accolées les unes aux autres, ensuite par une enceinte, faite de grillage et de panneaux de verre plus ou moins brisés, qui tout en permettant la vision, en interdit l'accès.

Chacune parle d'un thème précis, souvent axé sur la mémoire : mémoire douloureuse dans l'abandon solitaire du lit de fer de *Cell I* recouvert d'une couverture sur laquelle est brodé « I need my memories, they are my documents » (J'ai besoin de mes souvenirs, ils sont mes documents) ; nostalgie du plaisir passé, en l'occurrence celui olfactif de la terre natale, évoqué dans la poétique *Cell II* où sur un plateau en miroir sont disposés des flacons d'un célèbre parfum et deux très belles mains en marbre aux doigts entrecroisés ; souvenir encore, mais ici sonore, de *Cell III*, illustré par l'association contrastée d'une énorme oreille surgissant d'un bloc de marbre blanc et d'une sorte de gong en métal noir.

Dans *Cell (Glass Spheres and Hands)* (Cellule [sphères en verre et mains]) on retrouve les deux mains jointes sur une table entourée de cinq chaises sur lesquelles sont disposées des boules de verre, celui-ci symbolisant la fragilité des relations humaines.

Plus impressionnante, *Cell (Eyes and Mirrors)* (Cellule [yeux et miroirs]), lourd bloc de marbre dans lequel sont creusés deux trous comme des orbites contenant deux boules semblables à d'énormes yeux, trône au centre d'un environnement de miroirs inclinables. Dans cet aller et retour du regard s'exprime à nouveau la volonté de l'artiste de montrer la complexité de la réalité : celle qui nous est renvoyée comme celle enfouie au plus profond de nous-mêmes ; est évoquée aussi sa vision du monde sans concession et tranchante comme un scalpel. Autant de cellules, autant de données aptes à reconstituer une histoire, celle de l'artiste, mais aussi celle à laquelle chacun de nous peut s'identifier. La répétition des thèmes et des éléments d'une œuvre à une autre, dans un processus constant de transformation et d'évolution, intègrent celles-ci dans le cycle de la vie.

Avec les dernières sculptures, une série d'araignées monumentales en métal (1994-1995), se vérifie une fois de plus le propos de l'artiste déclarant que sa relation avec l'inconscient passe non pas par le rêve mais par le biais des difficultés de sa vie quotidienne.

A priori, l'araignée, animal fantasmatique, provoque la répulsion. L'artiste au contraire, l'associant au souvenir de sa mère, les voient toutes les deux comme de bienveillantes «tisserandes». L'araignée devient la métaphore émotionnelle par excellence. On remarque sa présence dès les premiers dessins, et le fait qu'elle resurgisse aujourd'hui manifeste le désir de préserver des fils conducteurs, aussi ténus et personnels soient-ils.

Avec *The Nest* (Le Nid, 1994), groupe de cinq araignées emboîtées les unes dans les autres, Louise Bourgeois reprend le thème douloureux mais rassurant de la famille, dont la mère reste l'élément positif, et revient au motif du refuge. Impressionnantes et effrayantes malgré tout par leur taille, leur nombre et leur matériau plutôt agressif, les araignées surprennent par leur audace et leur intrépide insolence.

Encore une fois, l'artiste ne s'embarrasse pas de préjugés formels ou intellectuels et va droit au but afin de trouver l'expression la plus adéquate de l'émotion ressentie, sachant « seulement qu'elle peut faire confiance à son instinct[1] ».

De ce combat incessant et acharné pour pousser le réel dans ses retranchements, Louise Bourgeois fait une œuvre rebelle et inclassable, affranchie de toute dépendance, et qui maintient constamment le difficile équilibre entre une très grande maîtrise plastique des matériaux et des formes et une conscience aiguë jusqu'à l'exaspération de l'existence.

BÉATRICE PARENT

1. Christiane Meyer-Thoss, *Louise Bourgeois : Designing for Free Fall*, Zurich, Ammann Verlag, 1992.

Entretien avec Louise Bourgeois
par Suzanne Pagé et Béatrice Parent

Vous parlez de votre atelier comme d'un « lair » – une tanière, un refuge. Y a-t-il continuité entre l'atelier, les maisons et les « lairs », à travers la notion de protection face aux angoisses du monde extérieur ?

LB : C'est vrai, mais pas strictement cependant. L'un est une métaphore de l'autre. L'un est un substitut pour l'autre. Lorsque je me sens découragée dans mes relations avec mes amis ou ma famille, je trouve refuge dans l'atelier. Là, mes œuvres me redonnent de l'énergie. Elles sont une source d'énergie qui me permet de gérer la vie quotidienne que je trouve si difficile.

Qu'entendez-vous par métaphore ?

LB : L'atelier est une métaphore pour la maison, pour la vie. C'est toujours le passage du passif à l'actif.

Il semble que pour vous l'araignée corresponde aussi à une idée de protection. Cet animal n'a-t-il pas pourtant une connotation menaçante et agressive ?

LB : Dans le thème de l'araignée, il y a un double thème. Tout d'abord, l'araignée comme protectrice, notre protectrice contre les moustiques. J'ai vécu dans des maisons, dans le Connecticut, où le ciel était noir de moustiques. Et la maison était devenue inhabitable. Mais les araignées les mangeaient. C'est une métaphore qui a pris une ampleur très importante. Quand je voyageais en Afrique, la terreur des moustiques était très grande, car ils communiquaient les maladies. La protection contre les moustiques était donc une industrie. En plus d'être les agents propagateurs de la malaria, on les accuse communément – et

à tort – de transmettre le Sida.

Je peux y associer le fait que mon fils Michel avait, comme moi, une grande peur des moustiques, et que pour se protéger, il était tombé amoureux des araignées, des petits serpents et des oiseaux, car tous se nourrissaient de moustiques. Le sujet est en réalité beaucoup plus la terreur du moustique, du Sida ou de l'infection que celle de l'araignée. C'est une défense contre un mal. C'est l'éternelle bataille entre le bien et le mal dont on peut voir la dimension omniprésente. Et le mal est vraiment le Sida. L'autre métaphore, c'est que l'araignée représente la mère.

Le bien, c'est votre mère ?

LB : Oui. Ma mère était ma meilleure amie. Elle était intelligente, patiente, rassurante, délicate, travailleuse, indispensable et surtout, elle était tisserande – comme l'araignée. Pour moi, les araignées ne sont pas terrifiantes. Peut-être le sont-elles pour d'autres.

Dans l'exposition, à côté des araignées, vous montrez aussi d'autres œuvres récentes, les Cells *(Cellules). A quoi correspondent-elles ?*

LB : C'est un désir de séparer les choses. Lorsqu'on a un problème, la façon d'y trouver une solution peut être d'en séparer les éléments avec un esprit analytique. Les cellules peuvent séparer et unifier.

Y a-t-il une relation avec le biologique ?

LB : Oui, bien sûr. Il y a aussi les cellules du sang, qui sont plutôt à l'opposé car elles tendent à se grouper d'abord, puis à se joindre. Il y a un troisième genre de *Cell*, la cellule-prison.

Ces connotations sont donc implicites ?
LB : Oui, parce que cela met de l'ordre. Je perçois et j'appréhende le chaos et la zizanie. Par conséquent, je rêve d'harmonie et de paix. C'est une manière de structurer une difficulté et d'arriver à l'analyser. La *Cell* est une métaphore intellectuelle, tandis que l'araignée est une métaphore émotionnelle.

Chaque Cell *correspond-elle à un propos spécifique ?*
LB : Bien sûr. Cela arrive dans un contexte donné, dans une situation donnée, à une heure de la journée donnée. Il faut que les choses soient précises. Chaque *Cell* a un sujet différent de tous les autres, un sujet spécifique. Existe-t-il un dénominateur commun entre les gens pour leur permettre de se comprendre ? C'est une façon de mettre de l'ordre dans sa vie. C'est comme avec les gens entre lesquels il y a les plus grandes différences. Et discerner et aborder les différences entre les gens est supposé constituer notre raison d'être.

La présence des miroirs revient très souvent dans les Cells.
LB : Tout le temps. Il y a une œuvre en bois très ancienne qui contient également des miroirs. Elle n'a jamais été montrée. Le miroir signifie que l'on doit arriver à un accord avec sa propre réflection. On doit aimer ce que l'on voit. Les miroirs concaves ou convexes permettent de jouer et d'accepter les déformations. Sur un niveau moins métaphorique, quand j'ai commencé à faire les *Cells*, je voulais créer ma propre architecture et ne pas dépendre de l'espace du musée pour adapter son échelle à celui-ci. Je souhaitais qu'elle constitue un espace réel où l'on pourrait entrer et dans lequel on pourrait marcher. Je n'aimais pas que l'art dépende de beaux espaces où il est simplement posé. Je ne voulais pas de ce monde fermé. Lorsque j'ai montré les *Cells* pour la première fois, elles fonctionnaient comme un labyrinthe d'une cellule à l'autre. Je décide aussi de l'échelle des œuvres qui sont présentées au dehors.

Chaque Cell *est-elle une entité indépendante ?*
LB : Totalement. Et avec un très grand « focus ». Chacune représente un monde fermé. Dans le musée, elles doivent être placées à une distance maximale les unes des autres. Les *Lairs* et les *Cells* font partie d'un continuum de sujets qui traitent de problèmes spécifiques. Ils forment une séquence de réalisations fragmentées.

Les premières Cells *étaient secrètes. Elles avaient des portes fermées, ce qui obligeait à regarder à l'intérieur, un peu comme dans l'œuvre de Marcel Duchamp,* Etant donnés, *Y a-t-il eu une évolution depuis ?*
LB : Oui. Il y a des fenêtres sur les quatre côtés et non des portes solides, et l'on peut voir au travers.

Pensez-vous à d'autres Cells *?*
LB : Oui, j'en fais tout le temps, je passe ma vie à séparer les choses les unes des autres de façon à en découvrir les différences. Tout ce qui m'intéresse, c'est la différence. Ce dont j'ai horreur, c'est la confusion. La confusion des genres. Il y a des confusions de toutes sortes. Il ne faut pas confondre le genre journaliste avec le genre critique d'art, le genre historien, le genre psychanalyste ou le genre emmerdeur. Ils ont un point commun, d'ailleurs.

Lesquels ?
LB : Les deux derniers. (Rires)

Votre œuvre parle beaucoup de sexualité, et moins du sexe en tant que tel, même quand vous le montrez littéralement comme dans Fillette.

LB : Qu'est-ce que cela veut dire ? C'est une charade ? On m'a reproché de reproduire le sexe masculin partout. Il y a des gens qui ne voient que ça dans mon œuvre.

Mais avec une distance ?
LB : Oui.

La sexualité est-elle un moteur essentiel pour votre œuvre ?
LB : Non. Ce n'est pas essentiel. Cela peut être sublimé. Par conséquent, tout revient à votre faculté de sublimation. N'importe qui peut sublimer s'il accepte… On arrive à sublimer par le truchement de l'acceptation réductive. Au lieu d'être de plus en plus ambitieux, on devient de plus en plus objectif.

Objectif ?
LB : Par exemple, un artiste fera opérer la sublimation si d'écrivain, il devient sculpteur, puis si en descendant, il passe de sculpteur à peintre, de peintre à dessinateur, de dessinateur à ébéniste, etc. Si on ne peut être écrivain, alors on devient artiste plasticien. Sinon on devient diseur, et petit à petit, après ces fonctions de haut prestige, on arrive à être un saint ou une sainte, ou un pique-assiette et si on n'y arrive pas, on devient électricien, puis maçon, ou égoutteur. Savez-vous ce qu'est un égoutteur ? C'est un homme d'égout. Un homme qui marche dans les rivières, avec des bottes qui lui arrive au nombril et qui rejette la vase des rivières envahies. Enfin, on fait ce qu'on peut. Nos potentiels sont différents.

Pour vous, l'artiste, l'écrivain, le musicien ne sont-ils pas au même niveau ?
LB : Absolument pas. Je suis entourée d'une multitude de gens qui veulent écrire mais ne savent pas. Ils peuvent prendre des notes mais sont incapables de les mettre ensemble pour en

constituer une entité logique… et convaincante.

Mais n'est-il pas tout aussi difficile d'être sculpteur ?
LB : Pas du tout. Il ne faut pas me la faire à l'oseille ! (Rires)

Chaque œuvre serait donc une tentative de sublimation ?
LB : Ce n'est pas une tentative, c'est une habilité que j'ai. Très peu de gens sont capables de sublimer, de transférer une énergie créatrice d'un sujet à un autre. Ce que j'appelle l'autre, c'est un sujet un peu moins difficile, plus accessible… ou plus impossible. Et l'ennemi, puisque nous parlons toujours de l'ambivalence du bien et du mal, est dans ce cas représenté par l'ambition. Ce qui permet à des artistes de se réaliser complètement, c'est le manque d'arrogance et d'ambition. Moi, je ne suis que ce que je suis, et je m'aime comme je suis. Mais aussitôt qu'il y a jalousie, envie, ambition, l'habilité créatrice disparaît. Et la folie intervient, la folie ou la peur pénètre.

Sarah Bernhardt avait une très belle devise : « Quand même ». Et lorsqu'on voit votre œuvre, on a le sentiment qu'elle est habitée par ce « quand même », par la volonté de passer outre, par une urgence à conjurer la peur et à transmettre une énergie.
LB : Mais dans ce que vous dites de Bernhardt, cela signifie qu'elle a abandonné quelque chose de très, très haut et qu'elle va le faire quand même.

Elle ne se laisse pas arrêter par les obstacles et avance malgré tout. On ressent cela chez vous.
LB : Oui, elle avance, mais parce qu'elle est satisfaite avec quelque chose d'un peu moindre. Elle n'avance pas par arrogance mais parce

qu'elle recule pour mieux sauter. Pour moi, il faut survivre et atteindre un idéal féminin. J'ai tellement peur que je n'ose pas être féminine.

Qu'est-ce qu'un idéal féminin, cela correspond à la féminité ?
LB : Oui. J'ai peur d'être une femme parce que j'ai peur de l'homme.

Vous avez pourtant un ton protecteur à propos de Fillette. Vous dites du phallus que c'est l'objet de votre tendresse.
LB : Je protège le phallus en partie parce que ma famille se composait de quatre hommes. Par conséquent, ma fonction était de les amadouer.

Et vous ajoutez : « Ce n'est pas parce que je le protège que je n'ai pas peur. »
LB : C'est vrai.

Il y a une lecture masculine de votre œuvre en terme de castration. Il y a peut-être une autre lecture qui y verrait de la séduction. Dans un entretien, d'ailleurs, vous comparez l'artiste à Don Juan.
LB : Don Juan s'intéressait au mécanisme de la séduction et non pas à son objet. L'objet, comme vous le savez, était constamment abandonné pour un autre. Il était insatiable car il faisait semblant d'être séduit, et en fait, il ne s'intéressait qu'à la séduction, sans jamais devenir passif. Il avait peur d'être passif, car il avait peur des femmes. C'était une défense contre sa peur des femmes.

Vous avez peur d'être passive, d'où cette tentative d'amadouer ?
LB : C'est ce que j'ai appelé dans d'autres circonstances « the genderization of a situation ». Lorsque j'ai peur, je fais appel à des moyens plutôt masculins, et lorsque je n'ai pas peur, je suis très féminine. Etant une femme, je réagis diffé-

remment aux hommes ou aux femmes.

Toute votre œuvre fonctionne d'ailleurs sur une perpétuelle ambivalence, une dualité. Tout semble concourir à maintenir un fragile équilibre ?
LB : Oui, c'est vrai. L'équilibre est là parce que je veux être une femme raisonnable. C'est ça, j'ai l'ambition d'être une femme raisonnable… je rêve d'être une femme raisonnable. Dans le couple de mon père et de ma mère, mon père était impulsif et intuitif et ma mère raisonnable et organisée. Totalement rationnelle.

Vous parlez souvent de sa sensibilité, cependant.
LB : Oui. Mais c'était complètement maîtrisé, au point qu'elle n'était pas jalouse des maîtresses de son mari. Comme elle, je sais que l'équilibre, aussi fragile soit-il, est quand même un équilibre, et que c'est mieux que rien.

A ce propos, vous avez fait beaucoup de pièces suspendues en train de tourner qui semblent ne pas trouver leur axe précis…
LB : Elles fonctionnent quand même ! Moi-même, comme je vous le disais, j'ai toujours tenté de trouver un équilibre stable. Depuis que je suis née, j'ai été soumise à une constante rivalité avec les autres. Je considérais mon frère, ma sœur, mes cousins, mes voisins, comme des rivaux. Je voulais paraître quelqu'un d'aussi bien que les autres, j'étais très ambitieuse. C'était très fatigant et, je crois, plutôt négatif.

Votre œuvre n'est-elle pas aussi nourrie par un défi constant ?
LB : C'est un défi et un « challenge ». Je suis incapable de laisser les challenges dormir, je réagis violemment chaque fois qu'on me touche. C'est un phénomène « hérissant ». Je me hérisse,

comme un porc-épic, sous les questions. Il me faut un temps d'adaptation aux interférences, pour m'ajuster à l'intervention de celui qui m'interroge.

Justement, on a le sentiment que Louise s'affirme contre Bourgeois. D'un côté, il y a Louise, son indépendance, sa liberté, son art inconvenant, qui se sert de l'humour contre la mort et le drame, et de l'autre il y a ce patronyme très lourd. Dès votre origine, dès votre nom, y aurait-il un challenge ?
LB : Oui, c'est vrai, on peut dire cela.

On a l'impression que vous vous êtes affranchie de toutes les contraintes sociales. La seule chose dont vous n'êtes peut-être pas affranchie, c'est de la peur ? Mais cette peur n'est-elle pas devenue moins biographique, plus métaphysique?
LB : La peur ne concerne pas les autres, elle vient de l'intérieur. Ma peur vient de ma relation au moi. La peur est un manque d'estime de soi et de confiance en soi. Je m'isole dans l'atelier où je contrôle totalement la situation. La peur disparaît lorsque la confiance en soi réapparaît.

Est-ce pour cela que vous parlez souvent du raisonnable, ce qui paraît pourtant étranger à votre démarche, à votre œuvre ?
LB : C'est tout de même une sorte de challenge. La peur m'empêche d'être raisonnable. Etre raisonnable me rend coupable. Je réagis plus à mon travail qu'à la présence des gens vivants. C'est lui qui me sauve, je suis une « workoholic ». On dit : « She is work oriented ». Dans mon travail, les peurs, qui sont très réelles, ont été éliminées progressivement, une à une.

Est-il plus difficile d'être une artiste femme ?
LB : Non, je ne trouve pas, cela n'est pas vrai.

Vous avez été quand même reconnue tardivement ?
LB : Oui, mais en fait c'était de ma faute car je travaillais dans le secret. Aujourd'hui encore, c'est le secret qui m'aide.

C'est quelque chose que vous voulez préserver ?
LB : Tout le travail de 1996/1997 se trouve dans des tiroirs. Je ne travaille bien que dans l'isolement. Montrer mon travail ne m'est absolument pas nécessaire. Je suis secrète, très, très secrète.

On a le sentiment que pour vous, aujourd'hui, il n'y a plus de barrières, ni de contraintes ?
LB : Ça, je ne sais pas.

Ne vous sentez-vous pas plus libre qu'auparavant ?
LB : Je me sens très bien. Je me sens indépendante.

Louise Bourgeois :
le refuge et l'affabulation

« Je me retire dans le récit pour cacher ma peur. »
« Les gens heureux n'ont pas d'histoire. » Louise Bourgeois

*« Le conte de fées comme forme traite des limites, et les limites sont souvent posées par la peur
[...] Lorsque les femmes racontent des histoires [...] elles luttent contre la peur [...] La menace a
été reconnue, prise en compte et exorcisée par le dénouement du conte de fées [...] On a été
confronté à la terreur et on l'a vaincue ; la lumière illumine les coins d'obscurité. [Les histoires
mettent en scène] un voyage du pèlerin féminin*, un rite de passage. »* Marina Warner

Les approches psychosexuelles et biographiques ont jusqu'à présent dominé les analyses de l'œuvre de Louise Bourgeois. Dans la mesure où ses liens personnels, et surtout familiaux, ont à l'évidence constitué le ressort et la motivation profonde de ses œuvres, la tentation est grande de les considérer comme l'instrument de leur compréhension. Pourtant, à divers moments de sa carrière, Louise Bourgeois a fait des sculptures dont les structures, les sujets et particulièrement la thématique renvoient de façon frappante, quoique indirecte, aux récits édifiants, aux fables, mais aussi aux contes folkloriques ou aux contes de fées. Dès 1946-1947, on trouve un premier exemple de ce type d'œuvres dans la série de gravures accompagnées de textes qu'elle intitula *He Disappeared into Complete Silence* (Il disparut dans un silence total). Les exemples les plus récents sont fournis par les deux *Red Rooms* (Chambres rouges) que Louise Bourgeois réalisa l'année dernière.

La neuvième et dernière gravure de la série *He Disappeared into Complete Silence* constitue une fable caustique et sombre. Elle commence par « Il était une fois une mère et son fils... ». « Il était une fois » renvoie, selon une tradition très ancienne, au temps indifférencié des origines, tandis que les protagonistes, « la mère », « le fils », participent d'une sorte de fonds de commerce de ce genre de récit. Austères et brèves, les phrases relatent sans effet le déroulement des événements. Comme dans les autres gravures de la série, l'image qui accompagne le récit – d'une grande rigueur architectonique et sans aucune personnage – est dénuée d'affect et résiste à la narration. Ces neuf images décrivent toutes des environnements clos ; certains de ces scénarios muets sont vus de l'intérieur, d'autres de l'extérieur. Même si l'on peut interpréter certaines formes comme les protagonistes, aucun récit n'émerge de façon évidente : la présentation iconique s'apparente plutôt au tableau vivant, à une simple toile de fond devant laquelle la parabole, que Louise Bourgeois appelle « le drame du moi », peut se déployer.

Si la plupart des huit contes qui précèdent sont plus idiosyncratiques, leurs brefs dénouements ne transmettent que rarement la charge escomptée, tendant davantage vers l'affirmation que vers la solution. D'ailleurs, plusieurs textes méritent à peine le nom de fable et évoquent

plutôt la légende d'une illustration : *Leprosarium Louisiana* et *The Solitary Death of the Woolworth Building* (La Mort solitaire du Woolworth building). Bien que la relation qui unit le texte à la gravure ne soit pas conventionnelle, chacune des images présente néanmoins, sur un mode kafkaïen, une mise en scène au sein de laquelle des événements peuvent se dérouler et des épisodes être représentés. Le vocabulaire de Louise Bourgeois, en lignes tendues et nerveuses, profondément incisées dans la plaque de cuivre et imprimées en tons sombres sur la feuille, ôte à l'image toute fioriture sensuelle. Chaque image, comme le texte qui l'accompagne, n'offre guère que des faits nus, essentiels et fondamentaux. Les conclusions morales ou didactiques sont absentes. Avant tout, ce qui frappe est cette façon d'éviter tout jugement implicite au profit d'une relation neutre des faits.

Ensuite, et jusqu'au milieu des années 1970, peu d'œuvres de Louise Bourgeois s'approchent, par l'esprit ou par la forme, de ce travail étrange et obsédant. De plus, quand son intérêt pour une mise en scène incluant une proto-narration s'affirmera à nouveau dans son œuvre, ce sera en termes extrêmement différents. L'atmosphère dramatique, toute en affrontements, que Louise Bourgeois a créée dans ses premiers grands environnements est très éloignée de l'intimité et de la confidentialité qu'exigeait l'absorption dans le petit format de *He Disappeared... The Destruction of the Father* (La Destruction du père), le premier et le plus impressionnant de ces environnements fait référence à une histoire qui, maintes fois relatée par l'artiste, continue d'impressionner : « Ce qui m'effrayait, c'était qu'à la table familiale, mon père n'arrêtait pas de poser encore et encore, il voulait se rendre intéressant. Et plus il plastronnait, plus nous nous sentions minables. Soudain, il y eut une tension effrayante, et nous l'avons saisi – mon frère, ma sœur et moi-même – tous les trois l'avons agrippé et traîné sur la table, puis nous lui avons arraché les bras et les jambes, nous l'avons démembré [...] [nous] l'avons mangé. Fini[1]. » On retrouve dans cet épisode l'écho puissant des contes folkloriques, des contes de fées, des fables et d'autres récits édifiants.

En 1975, Lucy Lippard, soutien et amie de l'artiste depuis de longues années, a vu dans *The Destruction of the Father* « la tanière la plus récente et la plus ambitieuse » qu'ait créée Louise Bourgeois[2]. Durant les années 1960, l'artiste avait exploré différentes versions du thème de la tanière. Ces constructions labyrinthiques dont l'intérieur reste en général mystérieusement dissimulé, apparaissent comme des retraites, des abris où l'on trouve refuge, et pourtant, paradoxalement, ces sanctuaires proches du cocon peuvent aussi fonctionner comme des pièges. Lieux de confinement autant que refuges, comme les abris et les sanctuaires qui allaient suivre, les *Cells* (Cellules) et les *Lairs* (Tanières), ils posent la question de la dépendance et de l'indépendance, de la clôture et de l'exclusion, de l'agression et de la vulnérabilité. Egalement connu sous le titre plus anodin *The Evening Meal* (Le Repas du soir), *The Destruction of the Father* était à l'origine conçu, selon Lucy Lippard, comme « un commentaire cauchemardesque sur la famille – ses pesanteurs, ses pressions et les zones d'anxiété suscitées par la trop grande proximité. » « L'espace, note-t-elle, est coincé de façon claustrophobique entre un champ de coupoles solides et un "paysage" bosselé évocateur, au-dessus desquels pendent les versions molles des coupoles aux protubérances bulbeuses, comme une épée de Damoclès. » « Des osse-

ments de moutons sont dispersés alentour et un portrait d'homme a roulé dans un coin sombre. Les formes, solides ou molles, sont de couleur pâle et, encloses dans une boîte sombre munie de rideaux, luisent de façon inquiétante[3]. » L'observateur, comme médusé au seuil de ce sanctuaire angoissant, regarde de l'extérieur, observant à bonne distance la pièce centrale, table festonnée de formes protubérantes, bombées, façonnées en latex grossier. Frappée par l'« atmosphère d'oppression, de colère et de violence », une autre observatrice, Deborah Wye, voit dans la scène la suggestion d'« un rituel déjà accompli, car on remarque des fragments de corps d'animaux éparpillés, revêtus eux aussi de façon sinistre par l'omniprésent latex[4]. » Bénéficiant de vingt ans de recul, Andrew Graham Dixon a récemment considéré cette installation comme « probablement la plus ambitieuse et la plus dérangeante des œuvres de Louise Bourgeois : une pièce emplie de moules en polystyrène expansé peint, dont les formes et les couleurs évoquent les intestins ; un espace d'exposition transformé en un ventre en phase de digestion[5]. » Il ajoute que cette violence « crue, primitive et qui refuse toute séduction » contient toutefois « une sorte d'avertissement [...] C'est là, semble-t-elle dire, que la violence finira par vous conduire[6]. »

Quatre ans plus tard, *The Destruction of the Father* fut suivi d'une autre installation monumentale, *Confrontation*, que Louise Bourgeois inaugura par une performance qui orchestrait soigneusement les mouvements et les gestes du public – critiques d'art et conservateurs. A nouveau, la pièce centrale de l'installation se composait de deux brancards accouplés en une sorte de table, sur laquelle des morceaux de corps humains, vus de près, se métamorphosaient en nourriture à divers stades de décomposition, tels les reliefs de quelque inimaginable festin.

Deborah Wye, archiviste des plus assidus de l'œuvre de Louise Bourgeois, fut à nouveau frappée des connotations rituelles de l'œuvre : « D'essence fondamentalement théâtrale, *Confrontation* oblige l'observateur à s'approcher de la scène dans un silence respectueux, avec prudence et crainte. Les lourdes boîtes de bois blanc qui en forment l'ellipse extérieure sont comme les témoins d'un cérémonial mystérieux, solennel et un peu effrayant. Elles protègent et font fonction de barrières : il s'agit d'un événement privé et celui qui regarde n'est qu'un simple spectateur[7]. » Wye conclut par une remarque de Louise Bourgeois de 1954 qui semble annoncer cette œuvre : « Les peintres du XVIIIe siècle faisaient des *conversation pieces* (scènes de genre avec personnages), on pourrait alors qualifier mes sculptures de *confrontation pieces*[8]. » Cette dimension contestataire fut accentuée, d'abord par la forme – contrairement au cercle, l'ellipse comporte deux centres –, ensuite par la performance qui accompagna la première présentation de l'œuvre à la Hamilton Gallery de New York en 1978, et au cours de laquelle conservateurs et critiques d'art présents furent contraints de se tenir debout ou de s'asseoir dans les boîtes blanches qui, tels des cercueils, composaient une rangée de gradins autour de cette arène et de son étrange « autel ». Parodie d'un défilé de mode, cette parade de peurs et de phobies, frisant le grotesque et parfois l'humour noir, entraînait les témoins comme les participants vers l'introspection.

Ces deux grandes installations avaient une forte composante théâtrale, tant par leur mise en scène que par le rôle donné aux spectateurs qui, en ces occasions, se transformaient en assemblée réunie dans une arène publique. Tout en s'éloignant ces dernières années de ce type de performance, Louise Bourgeois a conçu des installations d'une dimension plus privée, plus intime

et plus individuelle et dont les deux *Red Rooms* (Chambres rouges) de 1994, destinées à la contemplation solitaire d'un observateur unique, constituent la meilleure expression. La série des *Cells* exposée en 1991 est à l'origine des *Red Rooms*. Faites de portes assemblées par des charnières et disposées en paravent pour délimiter un petit espace, lui-même inséré dans un autre plus sombre, ces enclos sont juste assez larges pour accueillir un seul visiteur. En fait, plusieurs de ces cellules – *Cell III* par exemple – interdisent l'accès au-delà du seuil de la porte. Substituts de tableaux vivants au mobilier improbable – souvent des objets trouvés et amassés au fil des années par Louise Bourgeois –, les cellules forment des enceintes claustrophobiques qui rappellent la prison, et des sanctuaires intimes au sein du domaine public qu'est l'espace muséal : comme l'a noté Nancy Spector, « en termes biologiques, la cellule [...] est la plus petite unité structurelle capable de maintenir des fonctions indépendantes[9]. » Dans l'une de ces cellules, sur le plateau d'une table en miroir sont disposés plusieurs flacons de parfum vides et deux bras enlacés en marbre pâle ; dans une autre, une oreille taillée dans du marbre rose côtoie un énorme gong de fortune ; dans une troisième, trois grosses boules de bois se nichent l'une contre l'autre. L'invitation de ces refuges à la rêverie, à la méditation et même à l'évasion apparaît peut-être le plus clairement dans *Cell IV*, qui ne contient qu'un petit tabouret, comme si la compagnie des pensées devait suffire. Plusieurs de ces cellules excluent l'observateur, réduit à espionner par les carreaux cassés des fenêtres et les fentes des charnières de portes s'il veut apercevoir le mobilier souvent succinct, sinon mystérieux, qu'elles contiennent. Miteux, usés, voire déglingués, les objets qui les peuplent sont plus ordinaires qu'exceptionnels. Cette absence même de valeur en fait de précieux supports de fantasmes et de rêveries.

Achevé en 1993, un second ensemble de *Cells* construit à partir de grillages en fil de fer et d'autres matériaux de construction, évoque des cages plutôt que des cellules. Accessibles seulement au regard, elles soulignent le rôle d'observateur, distant mais perspicace, de celui qui regarde. Par leurs juxtapositions suggestives, les quelques éléments qu'elles contiennent sont, comme dans les cas précédents, d'une forte charge psychologique.

Si les *Red Rooms* reprennent l'idée d'immersion d'un spectateur unique dans un sanctuaire privé, leurs intérieurs sont désormais très élaborés, comparés aux précédentes installations. Significative dans ces deux œuvres, la circulation s'effectue dans le sens inverse des aiguilles d'une montre, comme pour remonter le temps et explorer le passé... Dans l'une des chambres intitulée *Red Room : The Parents* (Chambre rouge : les parents), la mise en scène évoque un environnement domestique familier[10]. Sur un lit double au couvre-lit pris sous un drap de caoutchouc rouge, se répondent un xylophone dans son étui et les vestiges d'un petit train électrique, une locomotive sur un tronçon de voie. Non loin, inquiétant, un doigt isolé transpercé d'une aiguille enfilée émerge du dessus-de-lit. De part et d'autre du lit, deux tables de nuit supportent chacune un serre-livres en marbre, dont l'effigie de pleureuse se change, une fois contournée, en demi-torse nu. Là encore, la dimension érotique ressort subrepticement et étrangement. Au-dessus du lit, une sorte de pendule menaçant surplombe un gros coussin à aiguilles d'où part un fil à coudre. Attendant peut-être, comme une ligne de vie, d'être brutalement rompu par le destin, celui-ci renvoie aux travaux d'aiguille de la discorde ou promet la réparation et le ravaudage de ce qui a été déchiré. Un grand miroir, une « psyché », se dresse à côté du lit de sorte que le spectateur, où qu'il soit, est directement impliqué dans

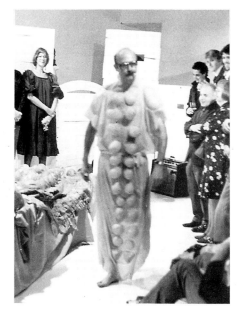

PERFORMANCE A BANQUET/A FASHION SHOW OF BODY PARTS 1978

l'œuvre[11]. Tout en offrant la possibilité de s'observer, le miroir suggère aussi l'interaction entre introjection et projection, qui repose sur la réflexion de l'image. Reflet qui, comme le note Louise Bourgeois, se situe inévitablement entre la description et la métaphore et qui, par sa nature même, inverse l'image de l'observateur, renforçant ainsi le sentiment de retour en arrière, de remise en question, et d'observation depuis un autre point de vue, qui imprègne tout l'intérieur. *Red Room : The Parents* est une sorte de diorama en miniature qui permet la réflexion de l'image mais aussi sa possible révélation et offre un potentiel narratif à la saga des relations familiales où le désir, la culpabilité, la tentation, le plaisir, le chagrin et le fantasme prédominent.

Red Room : The Child (Chambre rouge : l'enfant) est plus qu'un simple pendant à *Red Room : The Parents*. Elle s'y rattache de façon symbiotique. Plus exiguë, offrant une entrée proportionnellement plus étroite, elle reste difficile d'accès. On peut décrire l'intérieur davantage en terme de lieu potentiel que de mise en scène pleinement orchestrée. La majorité de ses éléments semble avoir été empilée, entreposée et entassée, comme en attente de quelque agencement ou activité futurs. C'est en même temps une sorte de collection qui permet au spectateur, utilisateur potentiel, de prendre possession du lieu : là où la *Red Room : The Parents* cherchait la soumission, celle-ci promet la domination. Certains de ses principaux composants existent en plusieurs exemplaires et matériaux, d'échelles souvent différentes, et induisent un sentiment de répétition, de retour obsessionnel, compulsif même. Mis en évidence parmi un bric-à-brac d'objets, ils sont les accessoires et les appendices obligés des contes folkloriques et des fables : le fil et la bobine, l'échelle, le sablier... Presque tout dans cet intérieur saturé est d'un carmin obsédant et lumineux. Non la couleur des rêves – d'ordinaire le bleu céruléen mis en avant par les surréalistes et employé par Louise Bourgeois dans de précédentes cellules – mais celle d'une ambiance lourde, tendue, imprégnée de violence, de colère et de tourment. Les motifs et les changements brutaux d'échelle rappellent les modalités et les structures inhérentes aux contes vernaculaires : la répétition, la dilatation, la miniaturisation et la métamorphose sont autant les véhicules du sens que les objets usuels et familiers ou les accessoires que le conteur utilise pour tisser son récit.

Selon Marina Warner, les fables, les contes folkloriques ou les contes de fées (que l'on désigne en allemand par le terme *Märchen*) sont moins révélateurs par leur parenté supposée avec les archétypes de la psyché humaine que par leur capacité à altérer, modifier et même réécrire les conditions normatives. Plutôt que de considérer le rôle qui leur est d'ordinaire assigné – affirmer, éduquer, consoler, en bref faciliter la socialisation des jeunes – elle affirme qu'ils peuvent contribuer à déstabiliser le *statu quo*. Et pour conforter son argumentation, elle rappelle la formule de Félix Guattari : « les figures inconscientes du pouvoir et du savoir ne sont pas des universaux. Elles sont liées aux mythes fondateurs profondément ancrés dans la psyché, mais elles peuvent encore faire volte face vers des voies/voix libératrices[12]. » Le discours très convaincant de Marina Warner réinterroge implicitement la thèse développée par Bruno Bettelheim dans son célèbre ouvrage *The Uses of Enchantment* (Psychanalyse des contes de fées), qui définissaient les contes de fées et les contes folkloriques avant tout comme des archétypes thématiques socialisant utilement ceux qui les écoutent[13]. Selon Bettelheim, de tels contes permettent à leurs auditoires de comprendre les problèmes psychologiques archétypaux et de réfléchir aux solutions possibles à ce type de situations difficiles. Intéressée par les mutations qui se produisent à la fois chez les conteurs et dans les contes, et qui naissent de glissements dans les contextes sociohistoriques où ils fonctionnent, Marina Warner accorde par contraste une attention particulière au moment où ces traditions orales furent réunies et transcrites pour la première fois. Il est significatif que les premiers transcripteurs aient été, dans le Paris du XVIIe siècle finissant, des femmes dont les salons étaient réputés pour leur atmosphère de libre-pensée. Ni didactiques ni *a priori* destinés aux enfants, les contes devinrent entre leurs mains un véhicule de révolte plus qu'un instrument d'édification pédagogique. Il n'est guère surprenant que les versions consignées alors furent très différentes des textes infantilisés, expurgés et aseptisés d'aujourd'hui. Les contes de fées, tels qu'ils furent relatés par ces femmes et par d'autres plus tard, comme Angela Carter, agissent, selon Marina Warner, comme les déstabilisateurs de beaucoup de préjugés sociaux.

Les *Red Rooms*, à la fois lyriques et caustiques,

invitent les visiteurs à repenser leurs fidélités de convention, à réorganiser leurs terreurs récurrentes et à dépasser les limites de la pensée autorisée, en défiant les notions conformistes des relations personnelles. Ces œuvres – abstraction faite de ce que l'affirmation provocatrice de Louise Bourgeois selon laquelle « les gens heureux n'ont pas d'histoire » peut susciter en nous – offrent aux spectateurs la possibilité d'exprimer leurs inquiétudes en établissant leurs propres connexions et en contant leurs propres histoires, même si celles-ci se déroulent dans des décors à l'origine conçus pour concrétiser les terreurs primordiales de l'artiste. Aussi n'est-on pas tenté de fureter sous la couverture qu'elle a tissée pour manifester ses propres sentiments mais bien plutôt de tisser en quelque sorte pour le futur, à partir d'écheveaux immédiatement familiers et pourtant complexes. Le travail de Louise Bourgeois renforce ainsi l'affirmation de Marina Warner selon laquelle les histoires que nous acceptons de nous raconter sont les moyens de structurer et de donner forme au monde : ce sont les moyens de le comprendre mais aussi de le transformer, comme nous nous transformons nous-mêmes[14].

LYNNE COOKE

* Marina Warner utilise l'expression « a female pilgrim's progress ». qui renvoie à l'allégorie religieuse de John Bunyan Pilgrim's Progress (*Le Voyage du pèlerin*, 1678), l'un des plus célèbres textes de la littérature anglaise (NdT).

Notes

1. Louise Bourgeois, *Bourgeois*, Vintage Books, New York, 1988, p. 25. Cette déclaration s'y trouve d'ailleurs incorrectement transcrite : « mon frère, ma sœur, ma mère (sic) – nous trois… »

2. Lucy R. Lippard, « Louise Bourgeois : From the Inside Out », première publication dans *Artforum*, mars 1975, pp. 26-33, réimpression dans *Louise Bourgeois*, Fundació Antoni Tàpies, Barcelone, 1990, p. 229.

3. *Ibid.*

4. Deborah Wye, « Louise Bourgeois : "One and Others" », dans *Louise Bourgeois*, The Museum of Modern Art, New York, 1983, p. 29.

5. Andrew Graham Dixon, « Louise Bourgeois », *Vogue* (anglais), juin 1993, p. 137.

6. *Ibid.*

7. Wye, *op. cit.*, p. 30.

8. *Ibid.*

9. Nancy Spector, article sans titre, dans *Louise Bourgeois : The Locus of Memory, Works 1982-1993*, Harry N. Abrams Inc., New York, 1994, p. 81.

10. Dans leur appartement parisien du 172, boulevard Saint-Germain, les parents de Louise Bourgeois avaient une chambre à coucher rouge. Les deux meubles assortis décoraient alors la pièce. Se reporter en page 213 de cet ouvrage pour la signification que l'artiste donne à la couleur rouge.

11. Il existe un dessin apparenté, intitulé *Mirror for Red Room*, 1994 (reproduit p. 215), qui montre clairement ce processus d'enchevêtrement : il représente un miroir ovale à la surface duquel sont tissés les fils d'une toile d'araignée.

12. Cité dans Marina Warner, *From the Beast to the Blond*, Random House, Londres, 1994, p. 418. Extrait de l'article « Regimes, Pathways, Subjects » paru dans l'ouvrage de Jonathan Crary et Sandford Kwinter, *Incorporations*, éd. Zone 6, New York, 1992, pp. 16-37. On en trouve une autre version dans l'essai de Félix Guattari, *Cartographies schizoanalytiques*, Galilée, Paris, 1989.

13. Bruno Bettelheim, *The Uses of Enchantment : The Meaning and Importance of Fairy Tales*, 1975, Londres, Penguin, 1991. Edition française, *Psychanalyse des contes de fées*, traduit de l'américain par Théo Carlier, éd. Hachette, Paris, 1985.

14. Marina Warner, *Six Myths of our Time : Little Angels, Little Monsters, Beautiful Beasts, and More*, Vintage Books, New York, 1995.

HE DISAPPEARED
INTO COMPLETE
SILENCE

suite of nine engravings by

LOUISE BOURGEOIS

with an introduction by

MARIUS BEWLEY

Gemor Press

Plate 1

Once there was a girl and she loved a man.

They had a date next to the eighth street station of the sixth avenue subway.

She had put on her good clothes and a new hat. Somehow he could not come. So the purpose of this picture is to show how beautiful she was. I really mean that she was beautiful.

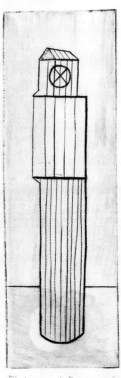

Plate 1   L Bourgeois

Plate 2

The solitary death of the Wool-worth building.

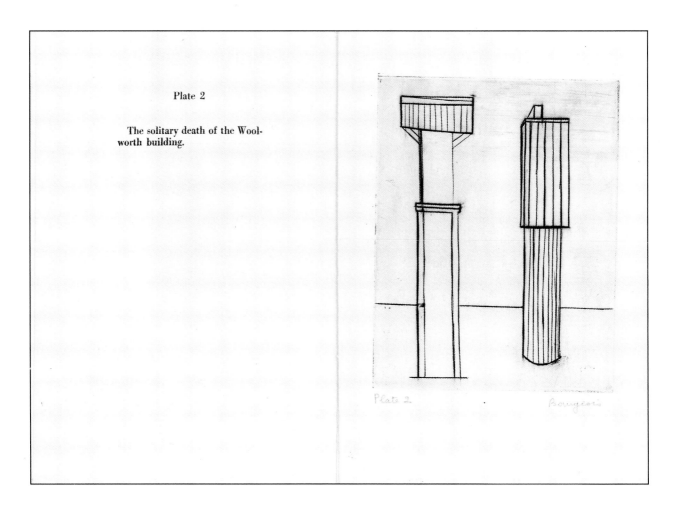

Plate 3

Once a man was telling a story, it was a very good story too, and it made him very happy, but he told it so fast that nobody understood it.

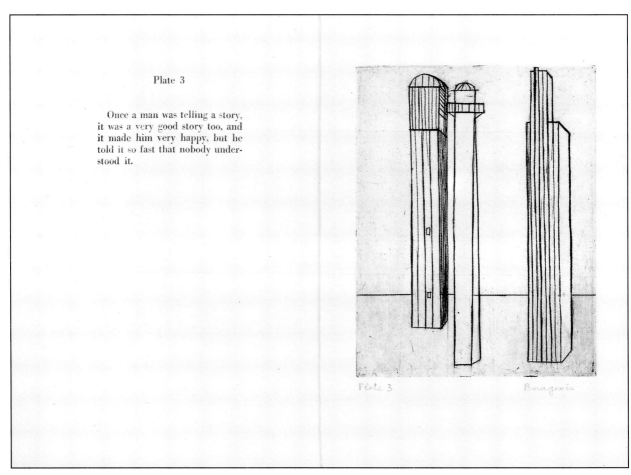

Plate 4

In the mountains of Central France forty years ago, sugar was a rare product.

Children got one piece of it at Christmas time.

A little girl that I knew when she was my mother used to be very fond and very jealous of it.

She made a hole in the ground and hid her sugar in, and she always forgot that the earth is damp.

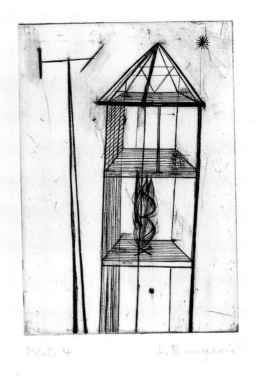

Plate 4   L. Bourgeois

Plate 5

Once a man was waving to his friend from the elevator.

He was laughing so much that he stuck his head out and the ceiling cut it off.

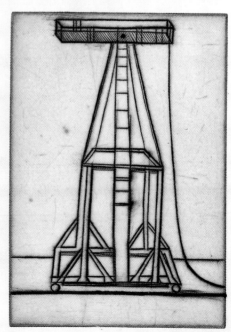

Plate 5   L. Bourgeois

Plate 6

Leprosarium, Louisiana.

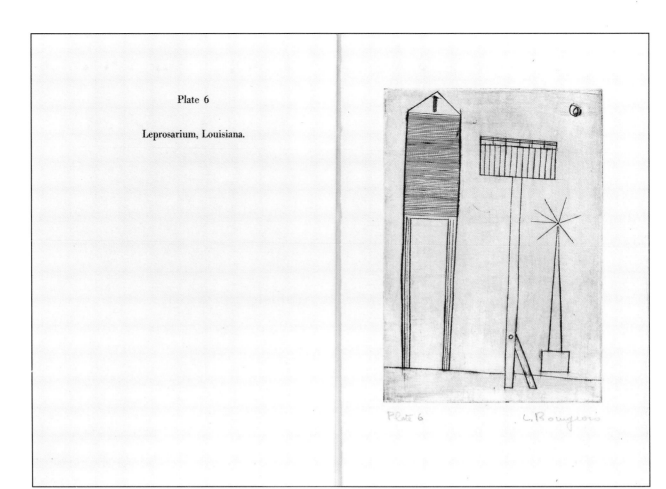

Plate 6   L. Bourgeois

Plate 7

Once a man was angry at his wife, he cut her in small pieces, made a stew of her.

Then he telephoned to his friends and asked them for a cocktail-and-stew party.

Then all came and had a good time.

Plate 7   L. Bourgeois

Plate 8

Once an American man who had been in the army for three years became sick in one ear.

His middle ear became almost hard.

Through the bone of the skull back of the said ear a passage was bored.

From then on he heard the voice of his friend twice, first in a high pitch and then in a low pitch.

Later on the middle ear grew completely hard and he became cut off from part of the world.

Plate 8   L. Bourgeois

Plate 9

Once there was the mother of a son. She loved him with a complete devotion.

And she protected him because she knew how sad and wicked this world is.

He was of a quiet nature and rather intelligent but he was not interested in being loved or protected because he was interested in something else.

Consequently at an early age he slammed the door and never came back.

Later on she died but he did not know it.

Plate 9   L. Bourgeois

Le jeu toujours recommencé de Louise Bourgeois

Une douzaine d'années se sont écoulées depuis notre conversation. Ce n'était qu'une conversation parmi toutes celles que j'avais pu avoir avec Louise Bourgeois durant les mois qui avaient précédé sa rétrospective de 1982 au Museum of Modern Art de New York. C'était une première occasion, tant aux Etats-Unis qu'au niveau international, de présenter son œuvre au grand public. En fait, il s'agissait de sa première exposition personnelle dans un grand musée international et c'était donc, dans son genre, un événement exceptionnel. Le MoMA n'avait que rarement, si ce n'est jamais, accordé tant d'espace, aussi généreusement, à une artiste qui, bien que figurant dans les collections du musée depuis 1950, était jusqu'alors passée presque inaperçue du « grand public » et des historiens d'art du « courant dominant ». Cette reconnaissance inattendue survenait alors que Louise Bourgeois avait 71 ans. Sa réputation semblait jusqu'alors avoir souffert de ce qu'elle ne s'était jamais trouvée au cœur des préoccupations du milieu de l'art tout en y ayant toujours participé. Et, bien que durant les quelque quinze ans précédant l'exposition du MoMA, sa renommée se soit constamment accrue *downtown* auprès des acteurs les plus jeunes du milieu artistique (notamment, il faut le souligner, grâce aux efforts de femmes critiques d'art, comme Lucy Lippard, ou conservateur, comme Deborah Wye, commissaire de l'exposition), Louise Bourgeois semblait condamnée à demeurer une artiste pour les artistes et à rester, pour le public plus large, un cas particulier.

Aussi désirés que soient les honneurs qui s'y attachent, toute récapitulation du travail d'un artiste, à quelque moment de sa carrière que ce soit, peut potentiellement le désorienter. Plus l'artiste est âgé, plus le danger est grand de figer définitivement sa réputation. Moins ces artistes sont connus et plus il est probable que leur destinée de « petits maîtres » sera ainsi scellée. Dans de telles conditions, ce type de rétrospective peut détruire la créativité future d'un artiste et, au pire, la tuer.

C'était là notre sujet de conversation, dans cette pièce bourrée d'objets et faiblement éclairée, à l'arrière de la maison de Louise Bourgeois qui sert tout à la fois de salon, d'archives et, à l'occasion, d'atelier de travail. Assise près d'un mur couvert d'affiches, de photographies, de dessins et d'autres témoignages d'une œuvre déjà accomplie, près d'une table chargée de livres annotés, d'outils, de griffonnages, de fragments de cire rouge et de lettres attestant d'un travail en cours, Louise Bourgeois cita craintivement l'exemple de Stuart Davis, un de ses amis dans les années 1940 que son apothéose avait si bien déstabilisé qu'il ne s'en était jamais tout à fait remis, et celui d'Ad Reinhardt, qu'elle connaissait aussi et qui était mort un an après sa première rétrospective. Dans la mesure où j'étais convaincu, pour en avoir été le témoin, qu'elle avait déjà énormément influencé de nombreux artistes de ma génération et que les effets de son influence commençaient à se voir dans le travail autour du corps, toujours plus agressif, présenté dans les galeries, et comme j'étais certain qu'une fois connues les quatre décennies que couvrent sa carrière altéreraient radicalement la perception convenue de l'art américain depuis l'expressionnisme abstrait, je fis de mon mieux pour la convaincre que, contrairement à ce qu'elle craignait, loin de marquer l'apogée d'une longue ascension vers un statut d'artiste « culte », l'exposition du MoMA n'était qu'un premier pas vers une complète reconnaissance.

Mon intuition était juste, mais les raisons de l'extraordinaire explosion créatrice qui *suivit* cette rétrospective – qui tout à la fois confirma sa stature de grande artiste du présent et sa singularité de figure essentielle et pourtant méconnue du passé – n'eurent que peu à voir avec les encouragements de quiconque. Ils durent, tout en revanche, au tempérament de Louise Bourgeois, et à cette combinaison très personnelle de rage réprimée et d'esprit de contradiction versatile qui a toujours stimulé son œuvre, mais jamais encore à ce point, alors que beaucoup n'attendaient qu'une fin de carrière honorable. Quelles qu'aient pu être alors ses craintes, Louise Bourgeois allait nous réserver quelques surprises. Rétrospectivement, les indices qu'elle m'avait donnés étaient révélateurs. En fait, la comparaison qu'elle avait faite entre sa propre position et celles de Davis et de Reinhardt devait être interprétée à l'inverse de ce que j'avais compris. En évoquant ces précédents malheureux au lieu de contredire mes affirmations optimistes, elle avait semblé suggérer que « cela pourrait [lui] arriver », en fait, après avoir été ignorée pendant des années Louise Bourgeois n'accordait plus aucun crédit aux arguments relevant d'une logique du goût populaire et ne faisait qu'affirmer que « cela ne lui arrivera pas ».

Une telle détermination ne l'avait pas toujours habitée. Lorsqu'elle évoque le passé, Louise Bourgeois cite fréquemment des occasions où, d'une façon ou d'une autre, elle n'avait pas obtenu la reconnaissance que son travail d'alors méritait, pour admettre finalement, qu'en dernière analyse, elle avait souvent été son pire ennemi. Et cela en plusieurs occasions, par exemple à

Paris au début des années 1950, lorsqu'elle avait refusé d'exposer à la galerie Paul Fachetti, à la dernière minute, alors que le soutien de Michel Seuphor lui en donnait l'occasion ; ou encore lorsqu'elle avait créé des situations conflictuelles avec les marchands, les critiques d'art et avec ses pairs à chaque fois qu'elle s'était trouvée dans la position d'être « responsable » d'une carrière à laquelle son ambition tour à tour réprimée et contrariée ne l'avait pas préparée. Ses apparitions épisodiques et ses disparitions de la scène artistique égrènent le décompte de ses terrifiantes oscillations psychologiques entre des moments d'activité intense et confiante et d'autres, marqués par une dépression tout aussi sévère et une dénégation de soi quasi totale.

La vie créatrice de Louise Bourgeois se divise approximativement en cinq périodes sur cinq décennies. Après une éducation vagabonde au milieu des années 1930, qui l'avait menée dans les ateliers parisiens de Léger, Lhote, Colin, Friesz, Brayer et Wlérick et son départ pour New York en 1938 comme jeune épouse d'un universitaire distingué, Robert Goldwater[1], la première période de Bourgeois fut essentiellement consacrée à la peinture, au dessin et à la gravure. Cette dernière technique trouva un aboutissement en 1947 dans un ouvrage intitulé *He Disappeared into Complete Silence* (Il disparut dans un silence total), qui réunissait textes et planches gravées et qu'elle réalisa à l'Atelier 17 de William Hayter. Par l'accent mis sur l'agencement gravitationnel des formes – penchées, en équilibre, suspendues – et la juxtaposition de masses organiques et de structures rectilinéaires, de surfaces en volume ondulantes et de plans rigides, de biomorphisme surréaliste et de grilles cubistes, ces gravures et les dessins qui leur sont contemporains relèvent dans leur logique autant de la sculpture que de la peinture, et préparent la voie pour ce qui va suivre.

La seconde période de Louise Bourgeois, qui fut longtemps la seule à être reconnue, vit la création de grêles personnages en bois qu'elle disposait en constellations lâches, de sorte que lorsque l'on pénétrait dans la galerie où ils étaient exposés, on était confronté à un rassemblement muet de personnages masqués dont les relations précises les uns avec les autres et l'équilibre individuel étaient constamment remis en question. Ses personnages, effigies d'amis, d'ennemis intimes et de parents – particulièrement de cette famille qu'elle avait laissée derrière elle en France et qu'elle avait perdue de vue pendant la Seconde Guerre mondiale – faisaient revivre tout un passé, alors même que leur nouveauté annonçait l'arrivée de l'artiste sur la scène artistique new-yorkaise naissante. Commencée en 1947, juste après qu'elle eut achevé son livre tiré en édition limitée, cette suite l'occupa jusque vers l'année 1953. Comme leurs titres le suggèrent – *Dagger Child* (Enfant poignard), *Woman with Packages* (La Femme aux paquets), *Persistent Antagonism* (Antagonisme persistant), *Listening One* (Celui [ou celle] qui écoute), chacune de ces figures ou chaque combinaison de personnages, incarne une préoccupation ou une situation difficile, tout comme leurs postures inclinées et déséquilibrées par une partie supérieure plus imposante et une assise en général précaire rappellent le langage corporel d'un inconfort inné. Après 1952-1953, ces formes rigides et dressées se transformèrent en assemblages verticaux réalisés à partir de morceaux de bois, de fragments de plâtre, de liège et de pratiquement tout ce qui pouvait tomber sous la main et être assujetti à la perceuse autour de hampes vissées qui forment les colonnes vertébrales, promptes aux torsions, des nouvelles œuvres.

Le travail sur ce dernier ensemble coïncide avec le retrait de l'artiste dans un silence relatif et parfois total. Entre 1945 et 1953, cinq expositions personnelles de ses œuvres furent présentées dans d'importantes galeries d'art de Manhattan ; des peintures à la Bertha Schaefer Gallery en 1945, et à la Norlyst Gallery en 1947, des objets à la Peridot Gallery en 1949, 1950 et 1953. Ces expositions établirent sa réputation comme l'un des sculpteurs les plus proches des expressionnistes abstraits, avec lesquels elle participa, en 1950, à une réunion-débat historique dont le modérateur n'était autre que le fondateur et conservateur du MoMA, Alfred Barr, qui à la même époque fit acheter par le musée *Sleeping Figure* (Figure endormie). Entre 1953 et 1964, aucune exposition ne lui fut consacrée. Les assemblages formés d'éléments empilés auxquels elle se consacra durant ce long intervalle restèrent pratiquement invisibles du public jusqu'à la fin des années 1970, lorsqu'on commença à les présenter avec les « personnages » monolithiques plus anciens. Toutefois, les pulsions psychiques et les principes esthétiques qui gouvernent ces œuvres – y compris l'importance donnée à la construction spiralée, aux débris recyclés et à l'hétérogénéité des éléments isolés – sont, de plusieurs points de vue, plus significatifs de sa tournure d'esprit instinctive et du développement ultérieur de son travail que les « totems » plus connus de 1947-1953.

Son exposition personnelle à la Stable Gallery en 1964 établit son retour sur la scène artistique[2] et marque le début de la troisième grande période, bien qu'à première vue le travail présenté alors ait pu sembler très différent de ce qu'on connaissait jusque-là. Au bois elle avait substitué le plâtre, le latex et différentes résines ; aux matériaux durs elle préférait désormais des matériaux souples et, à présent, au lieu de couper, elle coulait et modelait. Quelques constantes cachées subsistaient pourtant. Si les premières sculptures solides évoquaient des personnages protégés sous une gaine abstraite, les nouvelles formes bulbeuses prenaient l'aspect de coquilles de mollusques, de ruches ou de cavernes profondes où une créature vivante pouvait se cacher. De même, si les personnages assemblés qu'elle avait réalisés dans l'intervalle semblaient tournoyer autour de leur pivot, dans un mouvement fluide ou grinçant, comme s'ils tentaient d'échapper à une emprise sans laquelle pourtant ils se disperseraient comme des débris dans une tornade, les bandes, les torsades et les facettes repliées des formes en plâtre et en latex semblaient envelopper un espace intérieur dont la cavité convolutée pouvait, à chaque instant, provoquer l'implosion de la structure tout entière. La sculpture de Louise Bourgeois avait évolué des piliers anthropomorphes et des empilements autocontrariés vers les nœuds organiques autocontraignants.

La participation de Louise Bourgeois, aux côtés de Bruce Nauman et d'Eva Hesse, à une exposition organisée par Lucy Lippard en 1966 et qui fit date, « Eccentric Abstraction », confirma qu'elle avait bien retrouvé toute sa place sur la scène artistique et la mit au contact d'une génération de sculpteurs intéressés par le processus de création de l'œuvre ; ce fut sa première association avec des artistes plus jeunes, expérience qu'elle allait par la suite renouveler plusieurs fois avec plaisir. Cette association créa autant de problèmes à court terme que de bénéfices à long terme, du fait de l'interrogation inévitable qui s'éleva quant à son rôle de source ou de sujet d'influence. Le travail, orienté autour du corps, de ces artistes et la tension, dans leurs œuvres, entre les systèmes minimalistes et la diversité méthodologique et formelle post-minimale, rappelaient tout à fait l'opposition entre cubisme et surréalisme des premières œuvres de Louise Bourgeois, mais pratiquement personne n'était préparé à explorer ces questions en détail.

Il en résulta que les affinités avec Louise Bourgeois furent remarquées mais que sa contribution à la sensibilité émergente fut considérée comme une anomalie historique intéressante et l'artiste elle-même comme la plus « excentrique » des « Eccentric Abstractionists ».

L'influence du mouvement féministe, qui joua pour elle un rôle crucial sur le plan personnel, accentua cette image de femme hors du commun mais la figea davantage dans un rôle de personnage d'exception difficile échappant à toutes les règles. D'un point de vue positif, c'est des rangs du féminisme que sont issus nombre des défenseurs de son œuvre et ce soutien permit à Louise Bourgeois, au départ méfiante, de donner la mesure d'un esprit malicieux et parfois provocateur qui est devenu la marque de son personnage public. Toutefois, l'intérêt qu'elle portait au féminisme se limitait aux exigences d'une lutte personnelle pour définir sa propre identité et sa propre action. La « sororité » ne l'intéressait que lorsque l'expérience des femmes auprès desquelles elle s'engageait éclairait ou mettait en valeur ses propres expériences. Lorsque ce n'était pas le cas, l'idéologie et la solidarité s'avéraient contraires à son tempérament ; elle s'est toujours considérée, pour paraphraser le titre d'une œuvre séminale de 1954, comme inassimilée, « une [parmi] les autres ». Et cela est vrai quels que soient les autres.

Replacé dans un contexte plus large, le féminisme des années 1970 hâta la fin de l'orthodoxie formaliste fondée par le critique Clement Greenberg et ses disciples. Cette tendance avait dominé les appareils critique et muséal pendant plus de vingt ans et, par son aversion durable envers le surréalisme et l'héritage surréaliste, était fondamentalement hostile envers tout ce à quoi, précisément, Louise Bourgeois excellait ; le mélange des genres, le détournement délibéré des matériaux et l'exploration de toutes les

nuances de formes dans l'intervalle qui sépare l'abstraction de la figuration. Dans certains cercles, malheureusement, son association avec le mouvement de libération des femmes a conduit les critiques (qu'ils soient pour ou contre) à ne voir dans son œuvre qu'une illustration des conceptions féministes, laissant ainsi dans l'ombre les innovations esthétiques qui sont au cœur de sa recherche. Toutefois, il faut aussi préciser que les récentes tentatives de replacer historiquement Louise Bourgeois dans la lignée esthétique de Duchamp prouvent que bien peu de choses ont été apprises du féminisme dans quelques cercles « théoriquement » avancés. De plus, ce type de pensée moderniste académique ne tient pas compte de l'habileté avec laquelle la mariée de Louise Bourgeois a mis à nu les célibataires de son choix.

Au début des années 1970, la pratique de Bourgeois sembla suivre deux voies divergentes, caractéristiques de sa quatrième période. D'une part, elle a poursuivi son expérimentation avec des matériaux synthétiques comme le latex – qu'elle avait, incidemment, commencé à utiliser avant Hesse – et s'intéressa à nouveau à l'installation, pour la première fois depuis l'environnement où elle avait présenté ses personnages des années 1950. D'autre part, à la fin des années 1960, elle commença à fréquenter les carrières de marbre et les fonderies de Pietrasanta et de Carrare, où elle réalisa la fonte en bronze de ses plâtres et leur taille sur pierre. Ainsi, la dialectique du dur et du mou développée dans son œuvre des années 1960 prit-elle un tournant soudain et, étant donné les critères avant-gardistes du temps, totalement inattendu en direction des techniques « classiques ». Comme les statues du Bernin, auquel elle avait déjà dédié une pièce en 1967, ses œuvres en bronze et en pierre accentuaient l'impression de délicatesse tactile par le rendu illusionniste dans un matériau lourd et inflexible, de délicates surfaces de chair. Ainsi, les formes évoquant des nuages de ses *Cumuls* allaient être exquisément façonnées dans le marbre blanc ou moulées dans le ciment brut, tandis que les formes similaires mais plus agressivement sexuelles de *Fillette* (1968) et de *Trani Episode* (L'Episode de Trani, 1971-1972) se couvriraient d'un revêtement de latex évoquant la chair qui tout à la fois attire et repousse la main.

Bourgeois utilisera par la suite ce type de masses génériques pour mettre en place le décor du meurtre filial, dans son installation de 1974 *The Destruction of the Father* (La Destruction du père), où elles se transformeront en gigantesques molaires disposées dans l'ouverture en mâchoire d'un monstrueux *vagina dentata*. Elles réapparaîtront au centre d'une autre installation, *Confrontation* (1978), où elles figurent des attributs masculins et féminins ambigus, jeunes et tumescents d'un côté, mais vieillis et flétris de l'autre côté d'une civière drapée, environnée par un agencement elliptique de façades en bois qui ont parfois l'aspect de cercueils, et qui rappellent aussi directement les structures de *He Disappeared into Complete Silence*. Des formes proches apparaîtront également dans les costumes qu'elle réalisera pour la performance *A Fashion Show of Body Parts* (Défilé de mode de parties du corps), qu'elle fit circuler dans et autour de l'installation *Confrontation*. Parmi les mannequins qui défilèrent alors se trouvaient des historiens d'art connus qui paradèrent à moitié nus, drapés dans des pagnes en latex et arborant des rangées de tétines en latex sur leur poitrine. Ainsi avait-elle amené par la séduction une phalange de figures patriarcales à se livrer à un jeu exhibitionniste où elles se moquaient d'elles-mêmes.

Ces formes dilatées trouvent leur avatar le moins charnel et le plus transcendant dans une œuvre majeure de cette période, *Partial Recall* (Rappel partiel) de 1979, qui évoque un autel. La préoccupation explicite de Louise Bourgeois pour la mémoire remonte à cette époque. Auparavant, elle gardait plus ou moins pour elle-même ses secrets de famille et le symbolisme particulier à ses œuvres. C'est au moment de la rétrospective de 1982 au MoMA, alors que nous préparions une autobiographie audiovisuelle à partir de diapositives (nous étions en train d'y travailler au moment de la conversation sur les rétrospectives et leurs conséquences) que Louise Bourgeois raconta en détail l'histoire de son père et de sa maîtresse, qui est depuis devenue le mythe d'origine d'une grande partie de son œuvre. Ce récit, éclairant sous bien des aspects, a toutefois restreint le champ d'interprétation de sa création à des sources personnelles ou à des archétypes freudiens, en minimisant la façon dont le processus créateur implique chez elle, non tant le souvenir et la concrétisation de traumatismes réels que la redécouverte constante et la refonte de formes et d'icônes primordiales s'apparentant à des procédés mnémoniques. Distrait par le récit coloré et de plus en plus détaillé qu'elle donne des moments lointains de sa jeunesse – jusqu'à présent, elle est très réticente lorsqu'il s'agit de sa vie de femme –, on peut aisément manquer la dynamique moins narrative mais plus fondamentale du présent conscient, qui se nourrit du passé et le transforme et qui se manifeste dans chaque aspect de son travail. De plus, dans la mesure où l'on a été tenté de considérer les périodes successives de sa carrière comme essentiellement distinctes et disjointes, ce n'est que par cette dynamique que l'on peut comprendre comment les multiples tendances se réunissent et tissent une étoffe bigarrée mais cohésive.

Considérons, à cet égard, le type de travail que Louise Bourgeois a réalisé et auquel elle retourne à ses moments de plus grande anxiété – à savoir les assemblages empilés qu'elle avait commencés avec le prototypique *Memling Dawn* (1951). Comme *The Blind Leading the Blind* (L'Aveugle guidant l'aveugle, 1947-1949), *Memling Dawn* est une œuvre modulaire ; par la régularité austère de leurs éléments intégrés, toutes deux sont les précurseurs paradoxalement surréalistes de l'art minimal et post-minimal des années 1960. Ainsi, l'affinité qui lie Louise Bourgeois à Hesse et à Naumann provient-elle de méthodes qu'elle utilise depuis longtemps plutôt que d'une conversion tardive aux idées de ces artistes plus jeunes. (De même, la relation actuelle entre le travail de Louise Bourgeois et ceux de Robert Gober, Kiki Smith et d'autres artistes, dénote-t-elle la résurgence générale d'une sensibilité surréaliste très élaborée et précédemment réprimée par le formalisme ; là encore, Louise Bourgeois mérite de ne pas être seulement considérée comme le lien vivant avec ce passé mais comme l'un des principaux agents de l'évolution de cette sensibilité durant ses années de marginalisation.) Toutefois, après avoir noté l'existence de ces précédents proto-minimalistes, il faut souligner que les assemblages qui ont suivi *Memling Dawn* tendaient, en gros, à être réalisés à partir d'éléments disparates glanés dans l'atelier, dans le but de créer quelque chose à partir de la confusion environnante, mais surtout dans un effort désespéré de maîtriser la confusion interne qui l'avait envahie vers le milieu des années 1950 et qui, aujourd'hui encore, la saisit périodiquement.

Dans ses commentaires et ses notes, elle a comparé cette sculpture assemblée à l'activité prosaïque et reposante du tricot ; c'est-à-dire à la patiente répétition d'un acte physique, même lorsque, comme c'est le cas de beaucoup de ses sculptures achevées, le geste sculptural qui en résulte est capricieux et crispé. Incarnations de la cohérence menacée de l'individu divisé contre lui-même, ces constructions sont, d'un autre point de vue, absolument totémiques dans la mesure où les éléments qui les composent peuvent être considérés comme les membres isolés d'un clan s'ajustant maladroitement à des voisins consanguins pour former un arbre généalogique distordu. La substance symbolique de l'œuvre consiste à accorder, par un tour de passe-passe, des éléments qui, naturellement, ne coexistent pas de façon harmonieuse. Le soulagement qui envahit l'artiste lorsqu'elle a résolu le conflit émotionnel qui l'a obligée à entreprendre l'œuvre en est la raison d'être* intime.

Mais cela n'explique pas tout, dans la mesure où, généralement, ce type de satisfaction est de courte durée. La panique dans laquelle l'artiste peut à tout instant être jetée ne constitue pas tant une régression dans le passé – une crise causée par des souvenirs d'enfance spécifiques, de peur ou de colère, comme semble le suggérer le récit de son histoire familiale – que la résurgence dans le présent de l'angoisse dévorante qu'elle a de tout temps ressentie. L'important c'est que tout cela se passe ici et maintenant, et avec une telle intensité que lorsque ces sentiments l'envahissent, elle puisse, sans se préoccuper des conséquences de son geste pour l'histoire de l'art, reprendre une œuvre à laquelle elle n'avait pas touché depuis vingt ans ou plus. Parfois, ses retrouvailles avec la pulsion longtemps assoupie qui avait à l'origine motivé son travail (pulsion qui peut traverser son psychisme telle une décharge électrique subite) sont d'une telle urgence que plutôt que de se contenter de la liberté de retrouver et de reprendre une œuvre auparavant abandonnée, elle éprouve le besoin de la détruire. Plus d'une fois, alors que nous regardions d'anciens dessins, peintures ou sculptures, elle parut piquée au vif par l'évidence insupportable de ce qu'elle semblait soudain découvrir pour la première fois et déchira l'image ou fracassa l'objet sur le sol. La brutalité qui l'anime alors, comme la liberté avec laquelle elle cannibalise une œuvre, qu'elle soit « finie » ou inachevée, pour mieux la mettre au service d'une signification, sont les deux facettes d'un même processus.

On gagne donc à chercher, dans les assemblages et les environnements de Louise Bourgeois, la présence révélatrice de combinaisons nouvelles d'éléments anciens. Car le retour de certaines figures ou formes emblématiques témoigne non seulement de la persistance dans le temps de ses préoccupations, quels que soient les moyens et les techniques utilisés, mais révèle également comment, comme dans tout système symbolique, les signes prennent tout leur sens par la répétition et la recontextualisation permanentes. Ainsi par exemple, les petites formes évoquant des navettes en bois regroupées au centre de *One and Others* (L'Un et les autres, 1955) – dont l'aspect de vagin denté rappelle les *Yoni* de l'art tantrique, mais que leur extrémité pointue change de formes réceptives en armes phalliques ambiguës qui annoncent la *Femme couteau* de 1969-1970 – réapparaissent dans une œuvre intermédiaire, *Torso / Self-Portrait* (Buste / Autoportrait, 1963-1964), où elles s'alignent en rangs protecteurs sur la face externe du corps vulnérable de la sculpture, comme la peau hérissée d'un reptile se lovant sur lui-même ou les crocs menaçants d'un animal acculé.

Durant la cinquième période de sa carrière, qui est aussi la plus prolifique – c'est-à-dire les années qui ont suivi sa rétrospective de 1982 – l'installation s'est affirmée comme sa structure de travail dominante. C'est littéralement vrai au sens où nombre des projets qui l'ont occupée – en particulier les « cellules » en forme de boîtes ou de spirales qu'elle a commencé à faire vers 1990 – étaient formés de structures à l'intérieur desquelles on pouvait pénétrer ou regarder, et où elle entassait, comme le font certains rongeurs, tout

ce qu'elle pouvait accumuler. Qu'elle vide le contenu de son atelier dans des cubes grillagés assemblés à partir de fenêtres industrielles dont les lourds croisillons et les plans brisés créent une barrière physique qui accentue la tentation de regarder, ou qu'elle le disperse dans de petites chambres encloses par de vieilles portes, elle crée des pièges à pensées munis de ces appâts que forment les objets trouvés, hérités ou qu'elle a elle-même fabriqués : une plaque provenant de la galerie de tapisseries de son père, des arrangements de flacons de parfums, des billes et des récipients de verre, une corde torsadée, des vieilles lampes, des scies et des fragments de marbre magnifiquement taillés. Chaque objet convoque une idée ou un dilemme, un état d'esprit longuement médité et réinterprété comme une situation. Aucun, pourtant, ne peut être considéré comme un résumé. Comme toujours, les charades concises de Louise Bourgeois restent sans réponse.

De tous les puzzles non résolus qu'elle a récemment créés, *Articulated Lair* (Tanière articulée, 1986) est l'œuvre qui renouvelle de la façon la plus saisissante les problématiques d'images et d'espace de son œuvre antérieure. Il s'agit d'une imposante structure formée de portes d'acier enclenchées qui permettent de moduler un volume intérieur spacieux comme le ferait un soufflet d'accordéon, deux portes ferment les extrémités de cet espace asymétrique. Sur le pourtour intérieur de l'œuvre, dans les niches formées par les panneaux en accordéon, pendent de lourdes formes en caoutchouc qui évoquent des tranches de viande ou des saucisses noircies. Au centre de cet espace est placé un tabouret bas sur lequel la première occupante de cette chambre inquiétante s'est assise pour réfléchir sur ces objets menaçants, assurée que si l'on entrait par l'une des portes pour la surprendre dans sa solitude, il lui resterait l'autre porte, qui garantissait une échappée sans risque. Mais cette solitude est toute relative, en cela que les formes suspendues exhalent une aura décidément humaine et qu'il s'en dégage, si l'on connaît son œuvre, une impression de déjà vu. En fait, dans leur majorité, il s'agit de moulages de ses figures en bois des années 1940 et 1950, et la chambre elle-même est une version « retournée » et close de l'environnement ouvert qui fut d'abord le leur. Présentées dans ce nouveau lieu, les formes pendent, inertes, elles ne sont plus désormais animées par leur légère inclinaison, disparue avec l'abandon de leur verticalité originelle. Ce réajustement sculptural fondamental, ainsi que le poids mort du matériau dont elles sont façonnées, modifient radicalement leur signification métaphorique et transforment ces substituts, jadis créés pour faire revivre un univers disparu, en fantômes pesants d'une ambition réalisée mais rendue par là-même plus lugubre. En créant *Articulated Lair*, Louise Bourgeois est retournée à son point de départ, revenant une fois encore sur son passé pour en méditer les symboles épuisés, et sur la compréhension amère que l'art, arraché de la vie même et payé par la vie ne peut pas, en dernier ressort, se substituer aux plaisirs manqués et aux promesses d'amour déçues.

Pourtant, revenir sur ses pas, c'est ce que Louise Bourgeois a toujours fait et lorsqu'elle revient à son point de départ ce n'est jamais pour refermer le cercle mais pour en réinscrire la course dans une réflexion nouvelle, en élargissant ou en resserrant son propos tandis qu'elle progresse. Ainsi, quiconque serait tenté d'interpréter les « cellules » ou d'autres œuvres des dernières années en termes de cristallisation finale et mélancolique de l'univers devrait se souvenir du derviche tourneur qui habite le pavillon transparent de la planche 4 de l'album *He Disappeared into Complete Silence.* Cette figure, à la fois autoportrait et force qui anime son langage formel,

est l'expression spatiale directe d'une nécessité insatiable. Elle est cette femme-spirale qui cherche mais ne trouve jamais le cœur absolu de son être, et qui continue d'avancer même lorsqu'elle semble revenir sur ses pas, cette femme qui n'est pas en repos parce qu'elle n'a pas atteint ses limites ultimes. Rien, dans l'économie psychique ou esthétique de ses obsessions, n'est venu altérer ces données. De même, sa détermination à résister à l'attrait d'un axe non essentiel n'a jamais faibli. La seule chose qui ait changé, c'est l'efficacité accrue avec laquelle l'artiste consume ce combustible qui se perpétue indéfiniment.

Nous sommes à la veille de noël 1994, à la veille du quatre-vingt-quatrième anniversaire de Louise Bourgeois et je suis assis à ma table de travail après avoir juste quitté la sienne, chargée des sédiments du temps où, une fois de plus, la conversation a roulé autour de problèmes non résolus et insolubles. Et tandis que j'écris, la date de sa première rétrospective dans sa ville natale approche. Aucune conclusion n'est en vue. Le moi scruté avec vigilance est un tyran difficile et souvent cruel, mais c'est aussi la plus franche et la plus fidèle des muses.

ROBERT STORR

*En français dans le texte

Notes

1. Louise Bourgeois y découvrit que sa connaissance de la langue anglaise lui ouvrait les portes en jouant l'interprète entre les élèves et les artistes.

2. L'installation de cette exposition fut organisée par Arthur Drexler de la section Architecture du musée d'Art moderne.

Une et autres
L'œuvre impaire de Louise Bourgeois

« La sculpture est le corps. Mon corps est ma sculpture. »

Suspendu par une chaîne à hauteur des yeux, *Janus fleuri* est un morceau de viande, un chaos de chair transformé en bronze, un sang coagulé et transsubstantié en métal, est une sorte de fœtus, un « alien » inachevé, est un double phallus mammaire, flétri, alangui, est une double vulve refermée sur elle-même, est l'enchâssement de la vulve entre deux phallus, est le passage de la vulve au phallus, la porte d'une vie improbable, est un objet d'amour et de répulsion, un objet de compassion, un rejet magnifique, est une arme et une fleur, un mariage et un deuil. Simple et complexe comme le centre d'un polygone irrégulier, *Janus fleuri* (1968), œuvre charnière de Louise Bourgeois, est tout cela à la fois, sans que l'on puisse dire ce qu'il est d'abord ou ce qu'il est finalement, sans que l'on puisse y lire une identité ou y fixer un symbole, présence irréductible à une image unique – et l'on ne peut s'en approcher d'assez près pour y déceler formellement une origine et une destination précises qui mettraient un terme à l'enchaînement incessant des hypothèses – sans doute parce que tout y est contenu.

Le XXᵉ siècle nous a habitué à l'idée que la plupart des œuvres d'art finissent, tôt ou tard, par nous appartenir, soit que l'histoire et le musée y aient fatalement contribué – et elles sont nôtres de plein droit, croyons-nous –, soit que l'analyse et le commentaire leur aient enlevé assez de mystère pour que nous les considérions évidentes et familières, disponibles et assimilables

en quelques phrases. L'appropriation des œuvres par le regardeur n'est pas seulement une condition culturelle reconnue et usuelle, dont le commerce n'est qu'une occurrence parmi d'autres : elle constitue le modèle même de l'appréhension contemporaine, parfois l'unique destinée attribuée aux objets d'art, et c'est bien, par parenthèse, ce que voulut Marcel Duchamp. Il a si bien réussi à faire admettre ce contrat dans toutes ses conséquences, avec autant de flegme que de perversité, qu'il semble désormais téméraire, pour quiconque, d'envisager une autre perspective.

Avec l'œuvre de Louise Bourgeois pourtant, cette relation canonique est très exactement inversée : nous ne nous approprierons jamais les *Femmes maisons*, *The Blind Leading the Blind* (L'Aveugle guidant l'aveugle), *Portrait of Jean-Louis*, *Fillette*, *Janus fleuri* ou les *Cells* (Cellules) – ces sculptures et ces environnements sont bel et bien destinés, depuis le début, à s'approprier notre regard et notre écoute, à prendre contradictoirement possession de nous, à absorber nos facultés descriptives et analytiques, à ruiner nos valeurs d'échange, en détruisant la belle ordonnance du discours moderne, en récusant sans appel la stratégie, en prenant l'Histoire à sa toute première source, en produisant un jeu de miroirs vertigineux par lequel le retournement de situation est d'autant plus sûr et fatal qu'il est indescriptible – Janus ne relevant même pas de la catégorie intermédiaire de l'hermaphrodite.

Imprudents spectateurs, nous sommes encerclés par une mémoire avivée sans répit, prisonniers d'une forteresse organique, captifs d'un univers qui nous ressemble tant, en vérité, que c'est avec une grave réticence que nous finissons par nous y reconnaître. La sculpture de Louise Bourgeois donne combat là où vous ne pensiez pas vous trouver.

Cette œuvre cannibale laisse alors très peu de chances aux discours qui chercheraient à la circonscrire dans un espace pacifié et domestique, dans le domaine d'une culture bienveillante où règnent sans concurrence quelques axiomes logiques et solidaires. Elle n'en laisse même, de toute évidence, aucune. Le réseau diffus de polarités contradictoires dans lequel elle s'est élaborée est dynamique et impératif. Impérieux. Et si subsistaient encore quelques présomptions, les récentes cellules, où l'on se laisse attirer et dont il semble qu'on ne pourra pas sortir, devraient définitivement les faire tomber. En toute rigueur, on ne devrait même pas tenter de parler de Louise Bourgeois, à moins que parler ne soit, d'abord, écouter et laisser entendre à son tour – contrainte si difficile à respecter, quand la parole de Louise Bourgeois revient d'aussi loin, portée par des accents séculaires.

Ainsi, les commentaires ne sont sans doute pas inutiles : mais, tenus à l'écart, confinés à la périphérie, ils sont certainement dérisoires et vains et, quoi que l'on fasse, cette œuvre ne sera pas nôtre, nous ne la possèderons pas – vindicativement présente et imposante, elle se refuse toujours à nous devenir contemporaine, comme si elle déterminait un temps oblique avec lequel nous sommes désormais tenus de composer. Il faut alors s'essayer à expliquer pourquoi et comment une telle anomalie a pu avoir lieu et demeurer aussi pertinente, comment une telle œuvre impaire peut être aussi insistante, aujourd'hui,

tandis que nous feignons d'être persuadés que ce siècle, avec les *a priori* qui assurent en façade sa cohérence, est éternel.

Les sculptures de Louise Bourgeois apparaissent directes, impudiques et crues : ce qui reste toujours celé et prohibé dans les représentations les plus libérales que l'homme peut donner de lui-même y est mis à nu, exhibé et offert sans avertissements ni précautions. Nous avions cru oublier ces réalités qui instruisent obscurément notre rapport au monde et fondent notre parole : les voilà de nouveau dans toute leur indécence, comme nous ne savions plus les évoquer, sans trace du moindre fard ou déguisement – le théâtre a déjà brûlé depuis longtemps. Si nous avions affronté ces phantasmes que préconise l'époque avec empressement, nous n'aurions eu alors aucune difficulté à les partager, à nous identifier à eux et à les intégrer sans heurts, mais ce sont bien des prohibitions sacrées et profanes, aussi universelles que singulières, qui ont sur nous le privilège d'une antériorité immémoriale que l'on se doit d'explorer à nos risques et périls, quand elles possèdent une force d'impact que rien ne détournera de la cible – et nous sommes cette cible désignée depuis le début. Les ombres associées du sexe, de la mort, de l'effroi, réveillent un instinct animal et nous enveloppent en suscitant d'un même mouvement l'exaltation et l'incrédulité, la certitude et le désarroi.

Ces prohibitions ancestrales ne pouvaient dans un premier temps recouvrir d'autres formes qu'élémentaires et irréductibles, que la nécessité et l'urgence ont cependant rendues précises, que la mémoire et la méditation ont rendues inévitables. Les *Spiral Women* (Femmes spirales, 1951-1952), entre autres, ont ce caractère primordial et précaire de tous les commencements, moments imprévisibles et sans lieu encore, qui sont l'effet et la cause d'un regard introspectif et

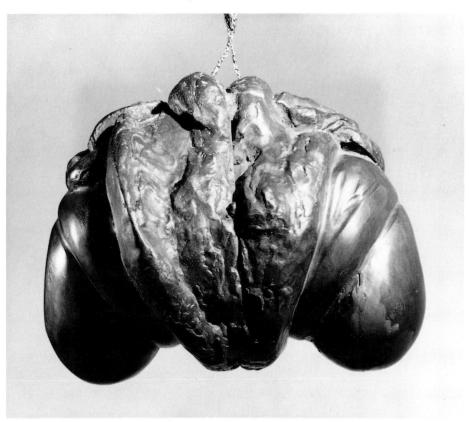

prospectif, fondateur et destructeur, amoureux et solitaire. Au fil du temps, les réalités se croisent, les échos se durcissent : avec *Henriette* (1985) ou *Legs* (Jambes, 1986), l'acte sculptural rend fatalement indistinctes la nature et l'orthopédie, l'organique et le mécanique, le volontaire et l'accidentel. *Lair* (Tanière) de 1962 ou *Fée couturière* de 1963 procèdent, sur un autre registre, de ce même principe de polarité nécessaire : la vigueur des formes contraste avec la fragilité des matériaux, comme le libre-arbitre s'oppose au destin, comme la volonté s'oppose à la peur.

Louise Bourgeois a beaucoup parlé de la peur comme du centre de son œuvre. « Au départ, dit-elle, mon travail c'est la peur de la chute. Par la suite, c'est devenu l'art de la chute. » Repousser la peur, inlassablement, afin de l'éradiquer, s'y exercer jour après jour jusqu'à en faire une discipline, en sachant que le combat est inégal, qu'il faudra sans cesse reconquérir le chaos dont elle, la peur, a le contrôle, en usant de remèdes souvent douloureux : « cautériser, brûler pour soigner », détruire pour donner jour et conquérir. Les instruments de cette chirurgie, de cette botanique existentielle, se retrouvent dans les dessins comme des personnages concentrés sur une même opération. Mais l'œuvre ne saurait être seulement un exorcisme, ou la modeste résolution d'un problème unique, puisque l'auteur ne recrée la blessure telle quelle que pour qu'elle puisse, par sa propre énergie, se réparer d'elle-même. Louise Bourgeois y pose alors un doigt amical et persuasif qui réveillera les sangs, qui fera de la sculpture un vrai corps.

« Peut-être que ce qu'il y aurait de mieux que la sculpture, ce serait de vraies personnes » : prêchant le presque-faux pour dire l'absolue vérité, cette déclaration, qu'il convient de lire dans un miroir, traduit plutôt l'idée que le mimétisme – c'est-à-dire le rapport métaphysique et concret au réel – l'emporte sur les considérations esthétiques – c'est-à-dire sur le rapport rhétorique à l'histoire – et sur une domination symbolique. Ce qu'il y a de mieux que de vraies personnes, ce sont des corps dont la précision et la positivité sont acquises une fois pour toutes. Les sculptures de Louise Bourgeois n'incarnent rien d'autre que ce qu'elles sont, et réfutent toute espèce d'interférences. L'incongruité qu'on leur attribue d'abord serait le témoignage le plus probant de leur autonomie, mais la vérité dont elles sont dépositaires leur restitue leur naturalité. Aussi, la dimension originaire qui se manifeste dans les premières sculptures persiste-t-elle sous des aspects certainement plus sophistiqués jusqu'aux *Araignées*, en passant par *La Destruction du père*, mais elle demeure innocente de toute stratégie, de tout calcul historique.

On a déjà mesuré l'abîme qui sépare cette œuvre du surréalisme, lequel se voulait si bien averti des vertus et privilèges de l'inconscient, mais en connaissait surtout les périls et s'attachait avec une fausse candeur à les systématiser et à en contrôler scrupuleusement la transcription symbolique. Par la diversion de l'automatisme et l'exaltation rationnelle des mythes, le surréalisme a mis en place une série de parades stratégiques qui ont autorisé puis promu le refoulement. Préférant méditer les leçons de Jean-Martin Charcot plutôt que celles de Sigmund

Freud, s'éloignant d'un schéma fonctionnel et thérapeutique, assumant l'indifférence des caractères public et privé, Louise Bourgeois nous demande alors une disposition inhabituelle et un effort presque surhumain, c'est-à-dire spirituel *et* animal, pour accepter l'expérience d'une œuvre qui ne dissimule rien, où cependant le voyeurisme et l'exhibitionnisme n'ont aucune part. On ne voit ici que ce qui nous gagne, et ce qui nous gagne est doué de son propre poids, de sa propre force de gravité. Pas de recouvrements ou de stratifications envisageables : c'est pourquoi Louise Bourgeois est sculpteur et devait refuser les dissimulations dialectiques de la peinture et du collage.

Rien n'aurait eu lieu, l'art de la sculpture ne serait pas imposé avec une telle évidence si Louise Bourgeois n'avait, une et autres, cumulé les rôles, les fonctions et les positions contraires avec désinvolture, force et conviction. Cumul expérimental de figures cathartiques dont elle n'a pas cherché à produire une synthèse, mais qu'elle a mises en jeu les unes pour et contre les autres, juste aux portes qui séparent insensiblement le chaos de l'ordre. Par l'objectivation de la sculpture, elle a exagéré et étendu la surface de leurs contacts et multiplié les frictions et les conflits. Autrement dit, son œuvre ne serait probablement pas venue au jour si elle n'avait suspendu, sous la pression de la peur et de la détermination, la continuité qui unit le réel au symbolique, continuité qui est le privilège de la femme et la condition de la mère. Deux éléments capitaux formalisent cette suspension, cette rupture : le roman familial et la relation à la figure de l'homme.

Louise Bourgeois a raconté plusieurs fois et avec beaucoup de détails son enfance, les rapports délictueux qu'elle entretient avec son père, et la complicité qui l'unissait à sa mère. Ce roman familial d'une jeune fille a été souvent commenté comme si l'unique clef interprétative de l'œuvre y gisait, comme s'il constituait la justification essentielle du travail, comme si nous pouvions (nous, imprudents lecteurs) rabattre la vie sur l'œuvre et tisser entre elles une toile parfaitement symétrique, décrypter le chiffre de ces liens par un discours mécanique. Au contraire, dans ses généreux développements – au cours d'entretiens et jusqu'à l'*Album* publié en 1994 –, ce récit est sans doute une porte ouverte qui interdit paradoxalement à quiconque de pénétrer dans une vie appartenant exclusivement à celle qui l'a vécue. Exercice de la parole, entreprise de séduction, décor répétitif où se livre une lutte contre la nostalgie (« La nostalgie n'est pas productive »), ce roman intouchable – qui a acquis son autonomie et son accent universel au fil du temps – est, au regard de l'œuvre, un leurre de principe qui, par son caractère archétypal, entretient vive la rupture entre le réel et le symbolique, entre le monde d'où vient l'œuvre et l'œuvre où va le monde. Louise Bourgeois déploie sa vie comme une preuve de résistance et comme un piège pour qui préférerait ne pas voir les yeux dans le marbre.

« Dans la vie réelle, précise-t-elle d'ailleurs, je m'identifie à la victime, c'est pour ça que je me suis tournée vers l'art. Dans mon art, je suis l'assassin. » Assassine, Louise Bourgeois l'est sans états d'âme – la pitié et le remords, la cruauté et le pardon ont donné consistance à son œuvre, mais la commisération qu'elle éprouve pour le rôle masculin occupe évidemment une place prépondérante. « Je peux résoudre les problèmes des hommes. Je ne peux rien pour les femmes. » D'où ces figures incertaines de l'homme et de ses attributs, soumis à un regard sans complaisance : glorieux (mais il est alors suspendu à un crochet et s'intitule *Fillette*), ou ramassé sur lui-même, le phallus apparaît comme le signe d'une victoire sans lendemain, comme l'indice d'une fâcheuse

présomption. C'est pour cette raison contradictoire qu'il faudra en prendre soin, le protéger, mais aussi bien détruire impitoyablement le père, étêter le mâle et le condamner à se taire.

L'une des œuvres les plus récentes s'intitule *Cell (Arch of Hysteria)* (Cellule [Arche de l'hystérie]) : au centre d'une pièce, un corps d'homme fondu dans le bronze, sans bras ni tête, est figé sur un lit d'amour dans une position paroxystique. L'hystérie, autrefois considérée comme un accès de fureur érotique propre aux femmes, et diagnostiquée chez les hommes au XXe siècle seulement, souligne Louise Bourgeois, donne aux conflits psychiques une forme plastique. Privés du contrôle de la conscience, les désordres neurologiques sculptent éphémèrement le corps, le soumettent à une tension extrême, l'arrachent à la pesanteur, suspendent tout contact avec le sol. Proche de ce corps saisi et pétrifié à l'acmé de la douleur, une imposante scie électrique galbée se dresse, menaçante et familière, précise et énigmatique. Les symboles tombent sous le coup de la violence, l'art devient imprévisiblement réel – le corps est la sculpture, son corps est sa sculpture.

ALAIN CUEFF

NB : Janus est une divinité latine, sans précédent dans la mythologie grecque, qui passe pour avoir été, à l'origine, identique au chaos. L'égal de Jupiter (« Janus préside à tout ce qui commence, Jupiter à tout ce qui culmine », écrivait Varron), il était l'introducteur, le dieu du passage et de la paix. Le temple que les Romains lui dédiaient était cependant ouvert en temps de guerre, afin qu'il puisse porter secours aux soldats de César. Figure bicéphale, comme la Prudence, Janus regarde vers le passé et l'avenir et incarne le passage de l'instabilité à la stabilité. Il était associé à Junon pour patronner les calendes de chaque mois.

Les pages qui suivent sont l'esquisse d'un portrait de l'artiste. Ce travail a été mené grâce à la collaboration attentive de Louise Bourgeois. Ce n'est pas un autoportrait mais un dialogue qui s'élabore au fil des pages entre l'œuvre de l'artiste et ses réflexions.

LOUISE ET SES COUSINS

PORTRAIT DE LA FAMILLE

PIERRE, HENRIETTE, LOUISE

LOUISE, SON PÈRE, SON FRÈRE ET SADIE

LOUISE ET SA MÈRE À NICE

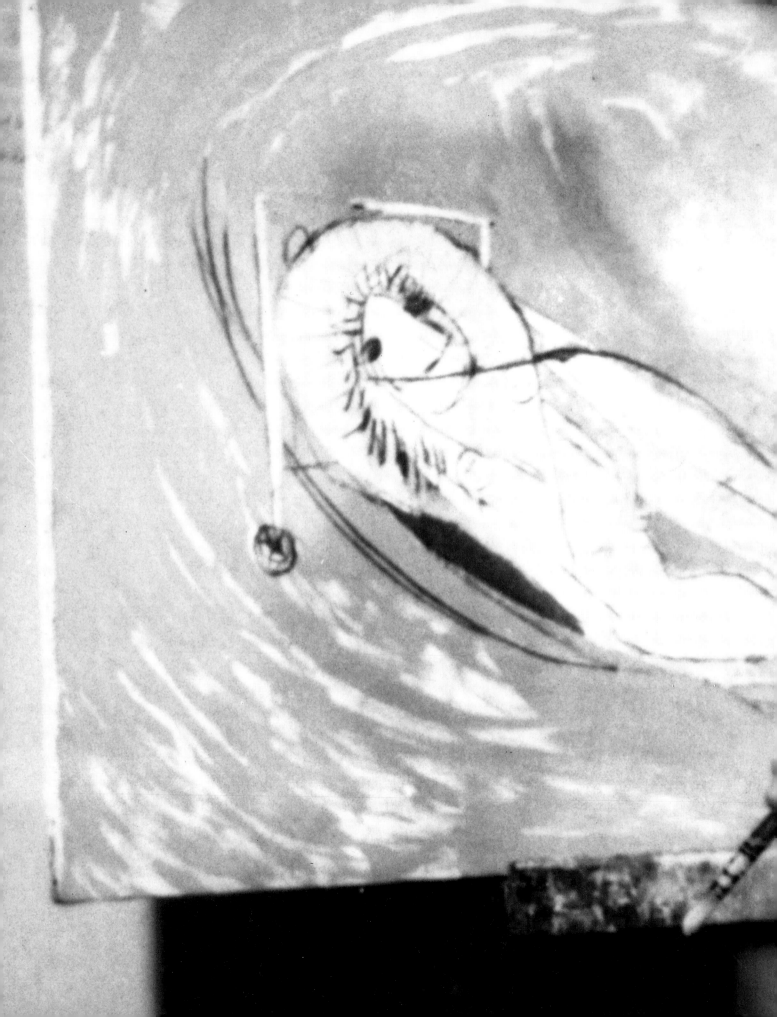

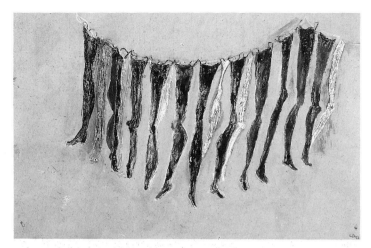

UNTITLED (LEGS AND BONES) 1993

Ma mère raccommodait une tapisserie qui était très grande. Elle devait faire
20 x 10 pieds. C'était un de ces sujets typiquement allégoriques. Elle avait besoin
de faire appel à un artisan. Monsieur Gerault, qui travaillait aux Gobelins,
était un *prima dona* et de temps en temps, on ne pouvait tout simplement pas
mettre la main sur lui lorsqu'on avait besoin de ses services. On ne pouvait pas
non plus le joindre par téléphone. Sa présence était indispensable puisque
rien ne pouvait être fait sans un artisan. Ma mère s'est donc adressée à moi
et m'a dit : « Louise, puisque tu passes ton temps à faire des dessins, pourquoi
ne m'aiderais-tu pas à faire un dessin sur la tapisserie afin que nous puissions
poursuivre le travail. Si tu nous aides, ça nous permettra d'avancer. »
J'ai donc fait un dessin. C'était très important parce que cela impliquait que je
pouvais dessiner et être reconnue pour ce que je faisais. C'était très facile.

Ça n'intéressait pas trop mon père de faire du raccommodage de tapisserie.
Ce qui l'intéressait, c'était de les dénicher. Ma mère et lui étaient très
complémentaires mais n'en restaient pas moins très, très différents. Ils étaient
dotés de dons différents et s'appréciaient mutuellement.
Les tapisseries étaient toujours déchirées aux extrémités. Elles étaient à l'origine
utilisées comme cloisons mobiles pour séparer deux pièces pas toujours très
propres, et souvent les tapisseries se déchiraient en bas. Généralement,
il en manquait un morceau, comme les pieds des personnages représentés.
J'ai dessiné un pied manquant pour ma mère, puis je suis devenue experte en
la matière. Encore maintenant, je continue à faire beaucoup de pieds. J'étais
très satisfaite du résultat, très satisfaite des pieds que je dessinais pour ma mère.
Ce fut une victoire. Ça m'a aussi appris combien l'art est intéressant et qu'il
peut être utile, ce qui aujourd'hui est complètement ignoré.
L'art peut restaurer. J'étais folle de joie ; tout le monde pensait que les pieds
que j'avais restaurés étaient magnifiques. Moi, je ne le pensais pas.
C'est ainsi que mon art a commencé.

Mon travail à ses débuts c'était la peur de la chute, puis cela devint l'art de la chute.
Comment tomber sans heurt, et enfin l'art de s'accrocher, de tenir bon.

PERSISTENT ANTAGONISM 1946-1948

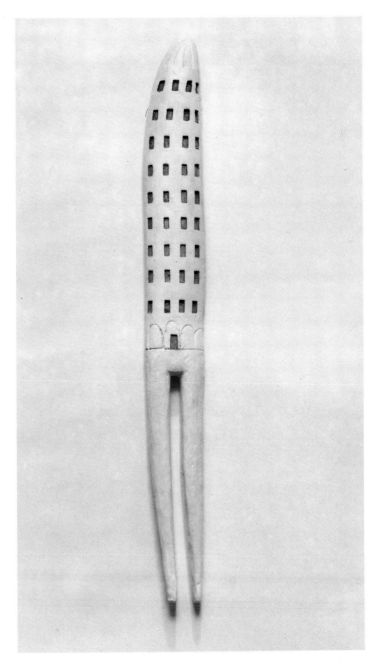

PORTRAIT OF JEAN-LOUIS 1947-1949

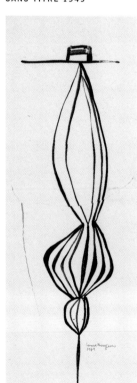

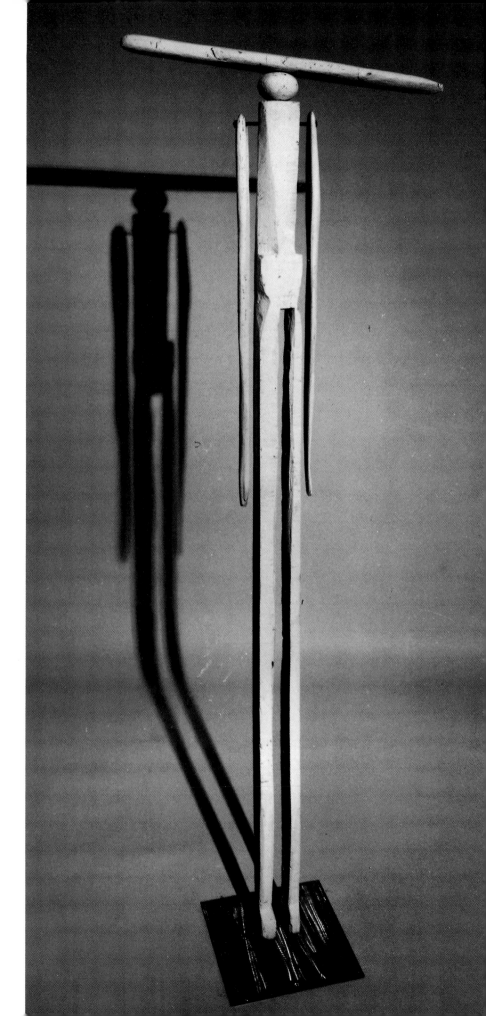

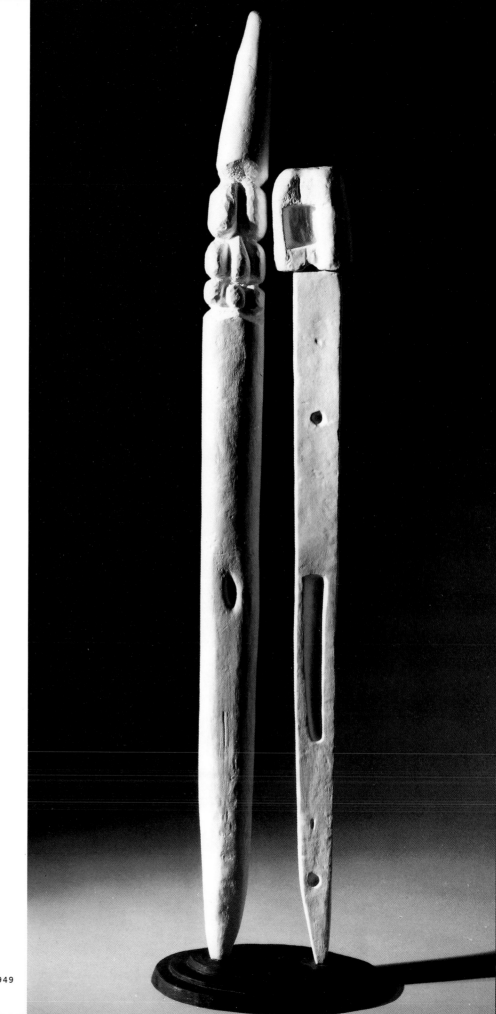

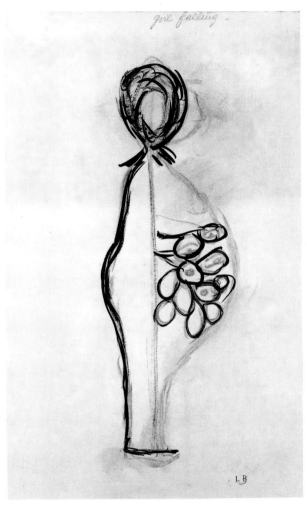

GIRL FALLING 1947

Une femme enceinte est sur la défensive pour protéger ce qu'elle porte. Il est certain que sa peur la rend tranchante, dangereuse pour quiconque l'approche. C'est le poids de sa responsabilité.

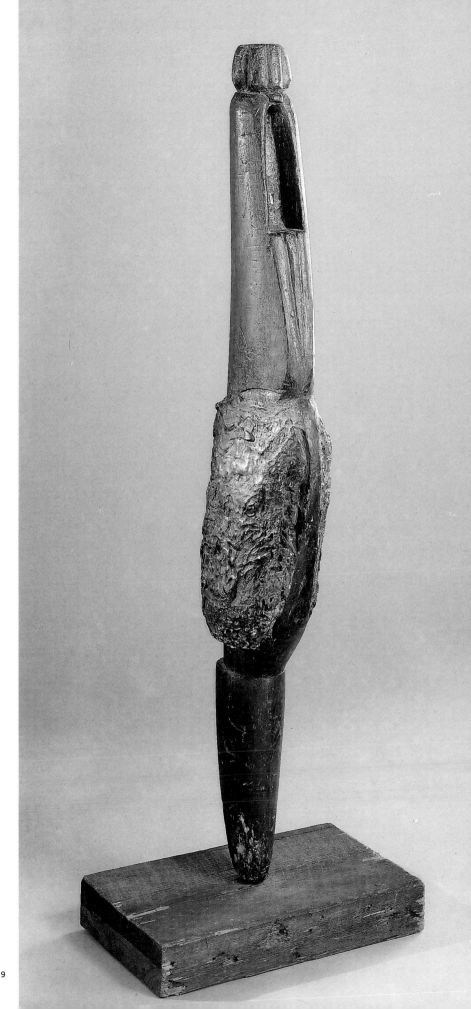

PREGNANT WOMAN 1947-1949

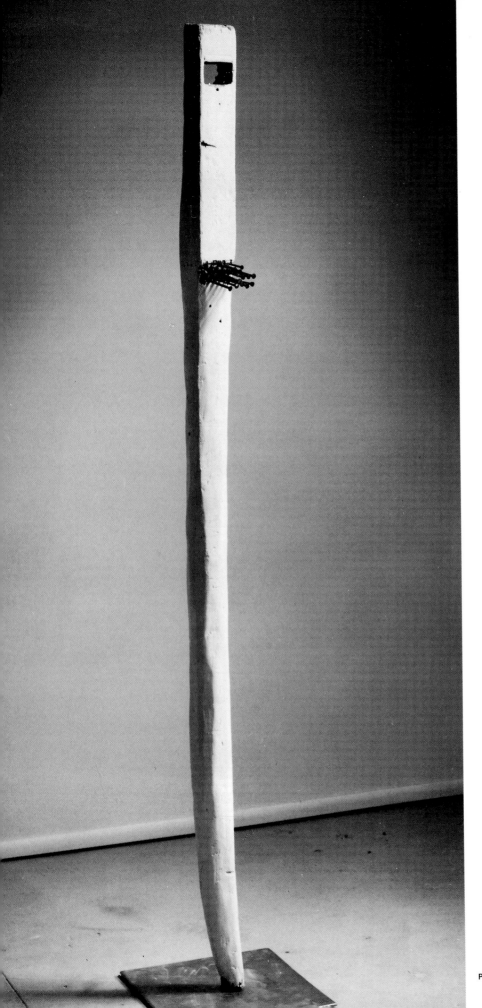

PORTRAIT OF C.-Y. 1947-1949

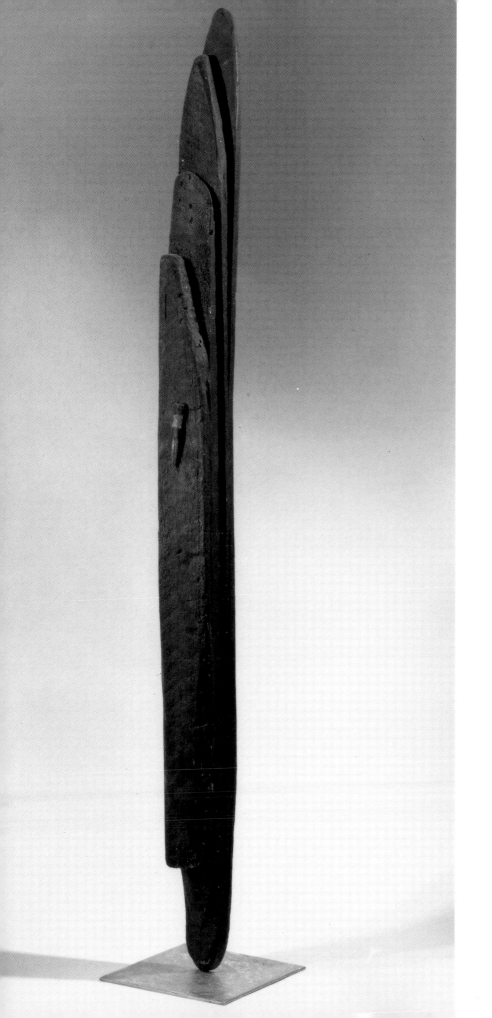

DAGGER CHILD 1947-1949

SANS TITRE 1946

The Blind Leading the Blind représente une armée de jambes, alignées deux par deux, qui se tiennent ensemble. Huit paires de jambes. La raison pour laquelle cette armée aveugle de jambes ne tombe pas, même si l'on pense qu'elle peut toujours perdre l'équilibre, c'est qu'elles se soutiennent les unes les autres. C'est exactement ce que je ressentais enfant quand je me cachais sous la table. Mon frère Pierre me suivait comme une ombre, j'étais aveuglée par la peur, tout comme lui. Mon frère était un peu plus jeune et je le protégeais. Je me sentais protectrice à son égard. Que je le veuille ou non, je me sentais obligée de prendre soin de lui. Quelquefois je n'aimais pas trop ça. Mais là, nous étions sous la table et nous regardions – je ne sais quoi. Moi, je regardais les jambes de mon père et de ma mère, pendant qu'ils préparaient le repas et je me demandais « Que font-ils ? A quoi jouent-ils ? Que disent-ils ? »

L'aveuglement vint de la honte que j'éprouvais à la proximité des gens, de n'importe qui. Et comme je l'ai dit, mon père était débauché. Je me devais d'être aveugle à la maîtresse qui vivait avec nous. Je me devais d'être aveugle à la douleur de ma mère. Je me devais d'être aveugle au fait d'être un peu sadique avec mon frère. J'étais aveugle au fait que ma sœur dormait avec l'homme, du nom de Waussort, de l'autre côté de la rue. J'avais une révulsion absolue pour n'importe qui. N'importe quoi et n'importe qui. Probablement pour des raisons érotiques, des raisons sexuelles.

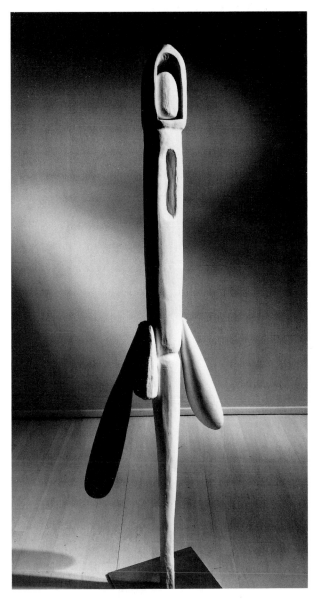

WOMAN WITH PACKAGES 1949

LOUISE BOURGEOIS AVEC QUARANTANIA I
(1947-1953) EN 1969

DEPRESSION WOMAN 1949-1950

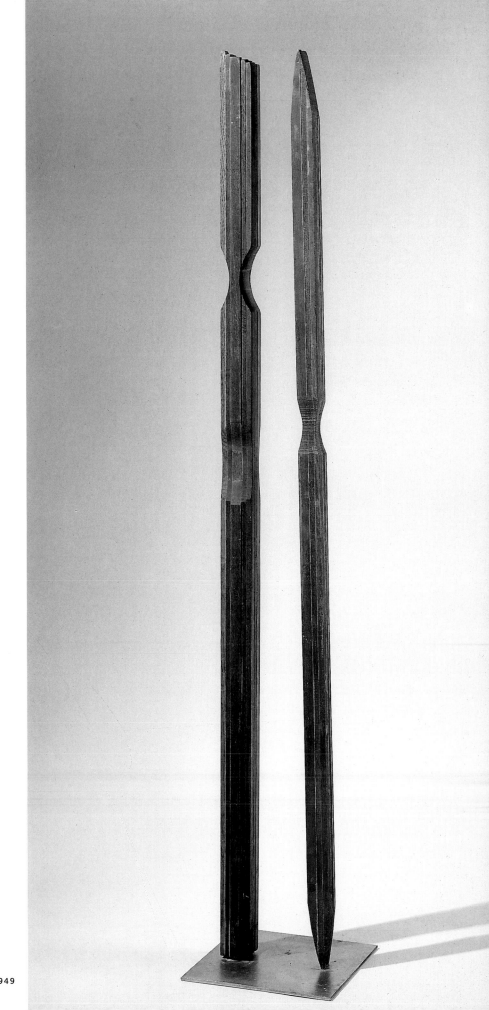

TWO FIGURES 1949

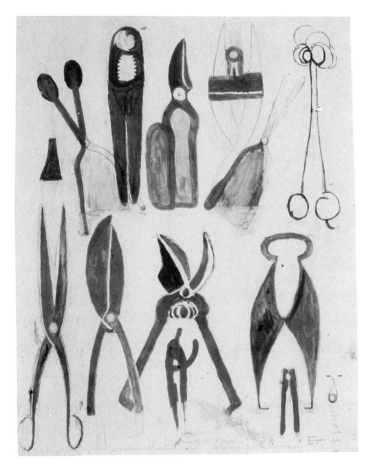

SANS TITRE 1986

Mes ciseaux sont comme une lance. Je t'aime, je te hais.
Si tu ne m'aimes pas, je suis prête à attaquer.
Ce sont des armes à deux tranchants très aiguisés.

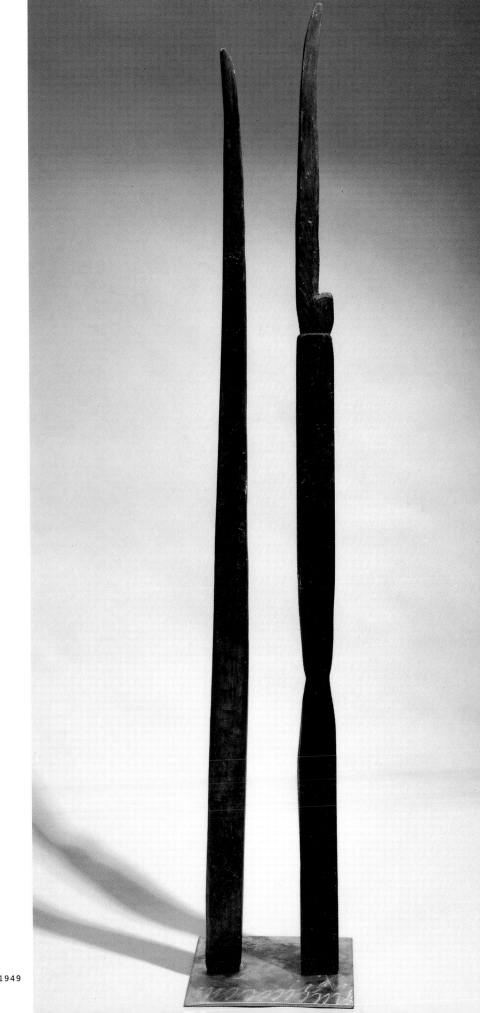

KNIFE COUPLE 1949

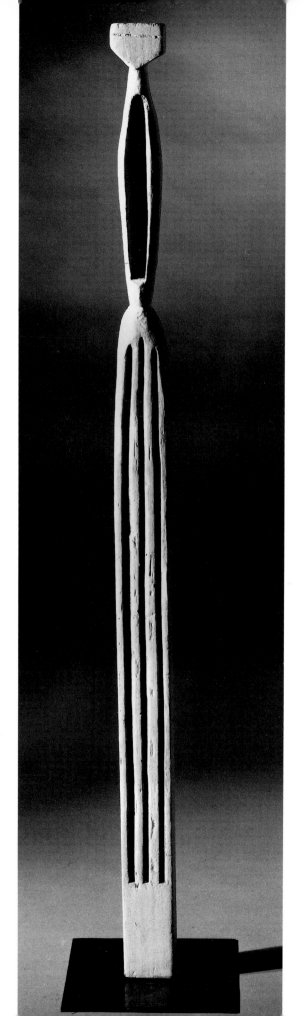

Parler du silence du matériau :
c'est une splendide image... C'est
exactement cela et vous devez
l'éveiller, réveiller le matériau.
Constater la beauté du bois, c'est
évident, tout le monde fait ça...
ils deviennent gaga avec la beauté
de la pierre.
Le musée des Arts décoratifs
n'est pas le Louvre ! Le sujet des
arts appliqués, c'est la mise en
valeur du matériau.
Je ne suis pas intéressée par la
beauté de la pierre...
Je ne veux pas dire que je ne
respecte pas mes matériaux, que
je n'ai pas l'amour des outils.
Je veux dire que le matériau
est là pour vous servir : techniques
et matériaux sont des moyens
et non des fins.

PILLAR 1949-1950

BROTHER AND SISTER 1949

PORTRAIT DE LOUISE BOURGEOIS
PAR BERENICE ABBOT, 1949

SANS TITRE 1949

Pendule et métronome.

L'horizontalité est un désir d'abandon,

de sommeil, de passivité et de retrait.

La verticalité ascendante est

une affirmation, voire une agression.

La verticalité descendante, l'oscillation,

est une esquisse de compromis, un

désir d'acceptation, la suspension

est un état d'ambivalence et de doute.

SANS TITRE 1949

SANS TITRE 1950

SANS TITRE 1949

SANS TITRE 1950

LOUISE ET SON FILS ALAIN

Samson : les cheveux sont le symbole du pouvoir.
Ils représentent la beauté. C'est un cadeau avec lequel on naît.

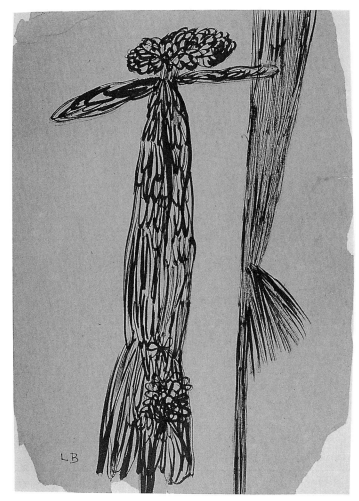

SANS TITRE MILIEU DES ANNÉES 1960

MEMLING DAWN 1951

SPIRAL WOMAN 1951-1952

SANS TITRE 1950

SANS TITRE 1950

J'ai marché, par le passé, dans un jardin la nuit, et je regardais toutes les plantes entassées les unes contre les autres, et par des nuits bien claires, les ombres au sol qui entourent les plantes m'ont toujours attirée et effrayée. Ce que je veux dire, c'est que je n'aurais jamais cueilli l'une d'entre elles. Le matin suivant, le même endroit me paraissait inoffensif et dénué de tout mystère.

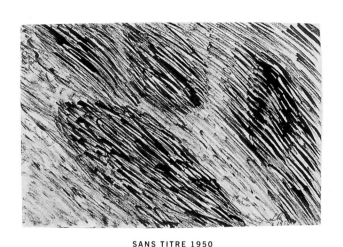

SANS TITRE 1950

SANS TITRE NON DATÉ

Ce n'était pas à cause de la nature mais plutôt à cause de l'expérience vécue dans un lieu et un temps donnés.

L'expérience n'avait vraiment rien d'exceptionnel mais elle se répétait à chaque fois que les conditions étaient réunies.

C'était une résistance à l'habitude dans le sens où elle se répétait et devenait hostile. Les émotions ressenties n'ont jamais perdu leur impact.

SANS TITRE 1949

Les paysages de la nuit ont envahi les jours.

Désir : donner réalité au sens impossible, à l'impossible espoir et graver dans la pierre l'impossible création.

Grand nombre d'œuvres commencent passivement. Etre passif, c'est rester dans le chaos. On doit traiter le chaos et l'ordonner. Lorsqu'on est actif, on met les choses en ordre. On se sent mieux et en sécurité.

Le sujet émane directement de l'inconscient, la forme doit être absolument stricte et pure. Je pense, sans en être absolument assurée, que ma relation directe avec l'inconscient ne vient pas du rêve mais passe par le biais de la vie quotidienne.

LAIR 1963

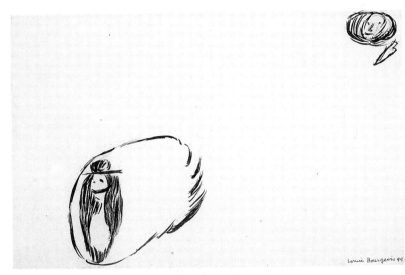

SANS TITRE 1949

La tanière est un endroit protégé dans lequel on peut se réfugier. Elle a une porte
dérobée par laquelle on peut s'échapper. Sinon, ce ne serait pas une tanière
mais un cul-de-sac. Le concept d'une tanière relève de l'idée de passer du passif
à l'actif. Ma façon de devenir active est de créer moi-même une tanière.

LABYRINTHINE TOWER 1962

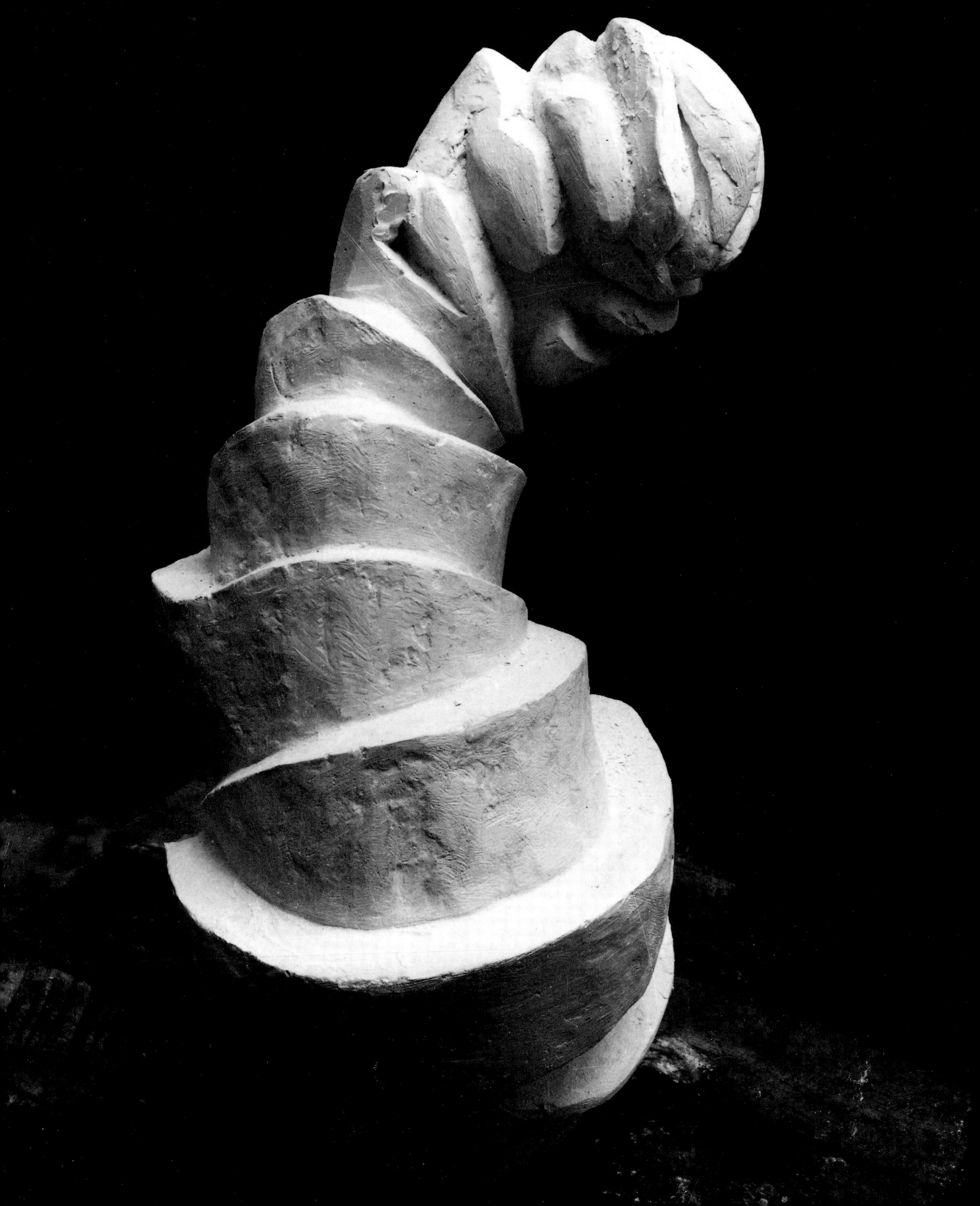

LOUISE BOURGEOIS DANS LE COSTUME DE CONFRONTATION

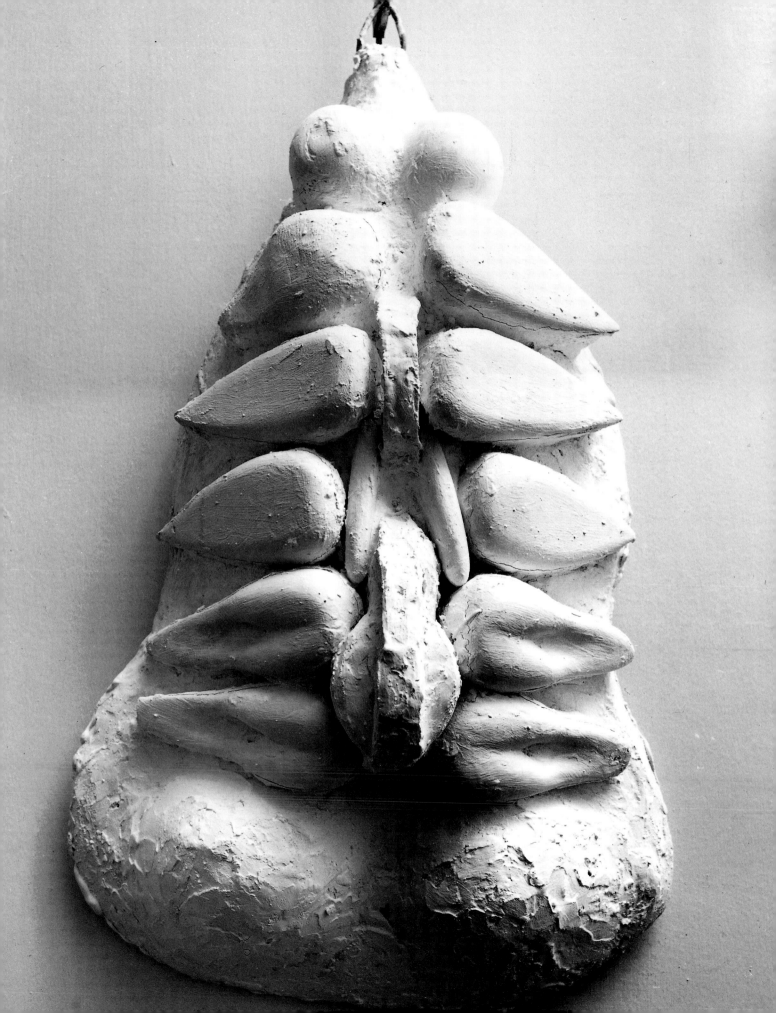

FÉE COUTURIÈRE 1963

LE REGARD 1966

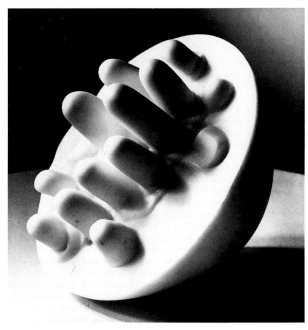

GERMINAL 1967

Je pense que je m'exprime mieux en utilisant le marbre. Il permet d'exprimer
certaines choses que d'autres matériaux ne permettent pas comme la
persistance, la répétition, des forces qui vous entraînent vers la ténacité.
Je suis quelqu'un de persévérant et je crois en la ténacité.

COLONNATA 1968

L'œuvre *Colonnata* représente la marche protestataire des années 1960. Silencieuse, femme noire. Elle a été faite à partir d'un cube, avec trente ou quarante de ses éléments découpés dans le même bloc que le socle. Les éléments fonctionnent car ils sont unis dans la tradition protestataire des droits civiques de Martin Luther King, ils sont anonymes et silencieux. Le silence signifie la non-violence. Nombre des œuvres de cette période évoquent les droits civiques.

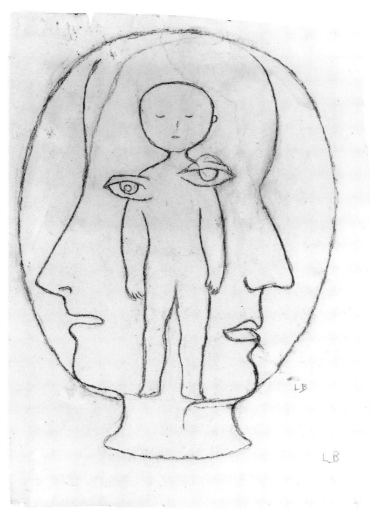

SANS TITRE 1940

L'art est une garantie pour la santé mentale, non pour la libération.
La libération est un procédé à part entière. Se libérer du passé,
c'est commencer à vivre. L'art est une tentative de libération que
l'on n'atteint jamais. C'est pour cela que l'art n'est jamais achevé.

DOUBLE NEGATIVE 1963

AVENZA REVISITED II
1968-1969

SANS TITRE 1968

CUMUL I 1969

Les gens parlent des aspects érotiques de mes obsessions, mais ils n'abordent pas les aspects phalliques.Quand j'étais jeune, le sexe était une chose, un sujet dangereux, la sexualité était interdite.

A l'école des Beaux-Arts, rue Bonaparte, dans ma classe, sur une centaine d'élèves, nous n'étions que deux femmes. On avait comme modèles de nu des hommes. C'était dans les académies libres de Montparnasse, Grande Chaumière et Colarossi, que l'on pouvait se rincer l'œil sur des nus féminins. Un jour en classe, le modèle croisa le regard d'une élève et eut une érection. Pour moi ce fut traumatique : il exposait une vulnérabilité que je n'aurais jamais soupçonnée. J'ai soudainement eu de la compassion pour les hommes. Quelle chose fantastique de révéler sa vulnérabilité, d'être exposé ainsi publiquement.

PORTRAIT DE LOUISE BOURGEOIS PAR ROBERT MAPPLETHORPE, 1982

Le phallus est le sujet de ma tendresse. C'est à propos de la vulnérabilité et de la protection. Après tout, j'ai vécu avec quatre hommes : mon mari et mes trois fils. J'étais le protecteur. J'étais également le protecteur de mon frère. Je le savais, je l'admettais, je le reconnaissais et je l'utilisais. Bien que je me sente la protectrice du phallus, cela ne signifie pas que je n'en ai pas peur.

On peut dire que je me bats contre la pierre, mais elle n'est pas très dure ;
ce n'est pas une pierre si dure que ça. Imaginons que j'ai un bloc de pierre et
c'est arrivé de nombreuses fois. Le bloc est plus intact que cette pierre et me
résiste plus. Je ne peux pas le détruire ! C'est un problème que je dois résoudre.
Comment vais-je m'attaquer à ce problème ? Quelle technique adopter pour
résoudre le problème du bloc qui résiste ? Comment atteindre et surmonter la
vérité de son existence qui est aussi dure que la plus dure des pierres ?
Quelle est sa vérité ? Pour moi, le bloc est un problème dans lequel je dois
pénétrer. Je le vois physiquement et non symboliquement ou conceptuellement.
Mon problème est de pénétrer dans l'idée physique que je me fais du bloc.

Avant j'ajoutais des matériaux, je les accumulais, je mettais plein de choses
différentes entre eux. Maintenant j'attaque, je veux savoir, poser des questions.
Cela veut dire que je veux pénétrer dans les choses.

J'étais effrayée et j'avais besoin de récupérer lorsque je faisais mon travail. Maintenant, je pose des questions, je décortique avec des questions et je ne suis plus effrayée. Je ne suis plus agressive dans le sens où on l'entend. Je veux sortir quelque chose de la matière. Dans la présence du bloc, quelque chose m'inquiète et représente un problème.

C'est un voyage à l'intérieur d'un bloc informe. La pénétration est opérée par les outils manuels, pneumatiques, électriques et électroniques du technicien. Après ça vient un voyage à l'intérieur. C'est ça, l'art. Maintenant, je suis seule, je n'ai plus besoin de personne. Je poursuis moi-même et tout simplement cette investigation et ce voyage. A l'intérieur de bloc, je suis seule, absolument seule. Il n'y a ni famille, ni camarade. J'accepte le défi et il ne me terrorise pas, je l'accepte tel qu'il est.

J'essaye d'être Descartes, je suis la fille de Descartes :
je pense donc je suis, je doute donc je suis, je suis déçue donc je suis.

J'organise une sculpture comme nous organisons un traitement pour une
maladie. Mieux vaut savoir ce que l'on fait. Il faut avoir une stratégie pour obtenir
les résultats espérés.
J'accède au repos de l'esprit uniquement à travers l'étude des règles qui sont
sûres et qu'on ne peut modifier.
Mes sculptures sont des équations d'algèbre avec leurs variables. Les équations
doivent être testées. Est-ce que la tension baisse, est-ce que la contrainte
s'élimine, est-ce que la douleur disparaît ? Ça marche ou ça ne marche pas.
L'algèbre et la géométrie offrent des vérités sûres qui ne peuvent jamais aller de
travers, ce sont des garanties. Ce sont des systèmes fiables, des systèmes de
référence qui ne changeront ni ne vous trahiront.

UNTITLED (HAND) 1970

Une façon élémentaire de créer une forme :
commencer par le contenant en bourrant les vides,
c'est le travail inverse de la taille.

RABBIT VERS 1970

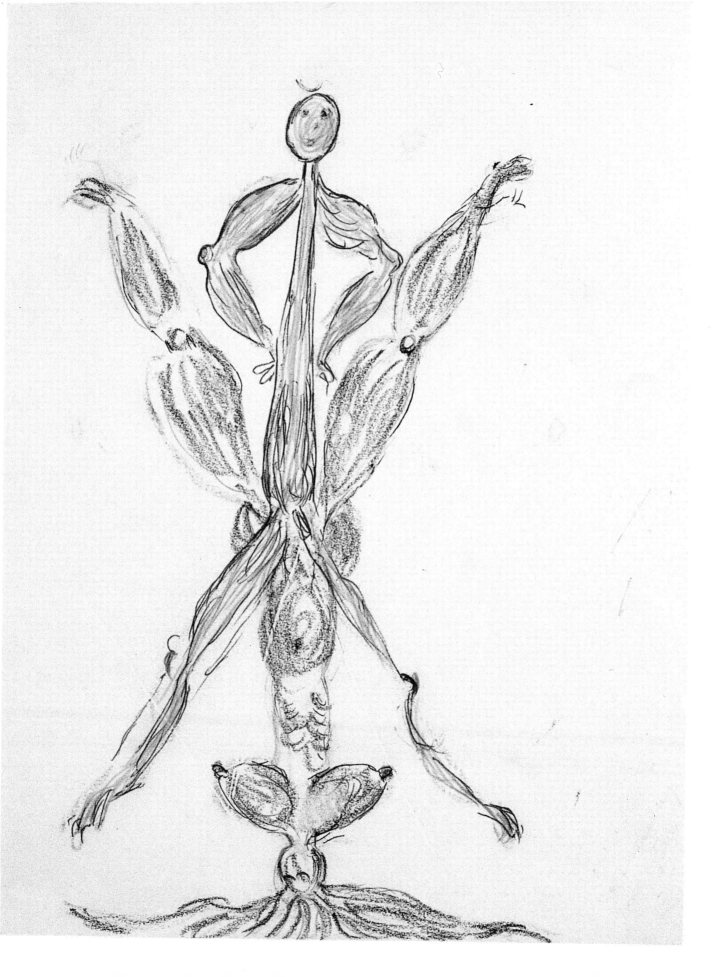

SANS TITRE 1946

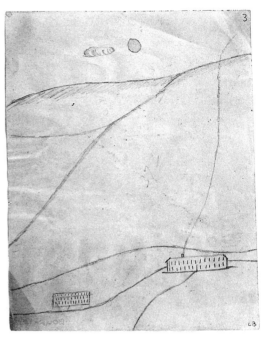

SANS TITRE 1940

Les dessins réalistes de la nuit sont le triomphe de souvenirs négatifs,
c'est un besoin de les effacer et de s'en débarrasser…

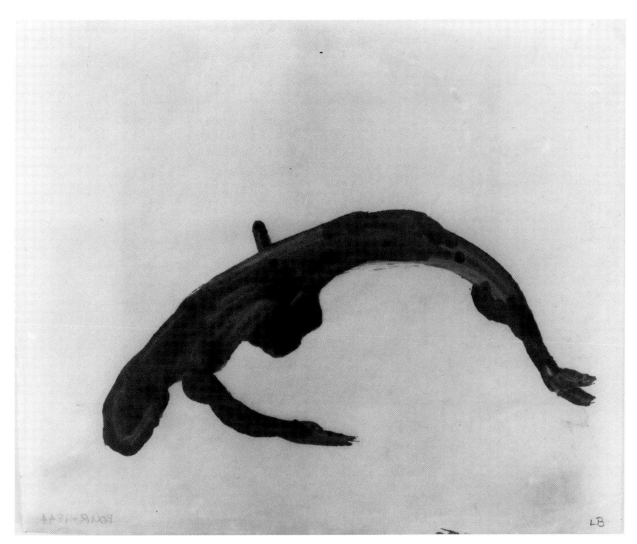

SANS TITRE 1992

SANS TITRE 1946

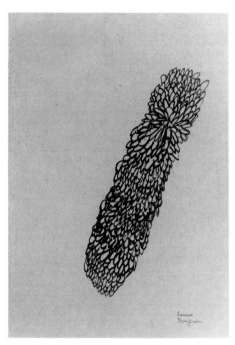

CONCENTRIC GROWTH ANNÉES 1960

… Les plus abstraits d'entre eux sont un exercice plaisant, un désir de s'endormir et de trouver la paix dans un rythme, dans un modèle et dans les caresses.

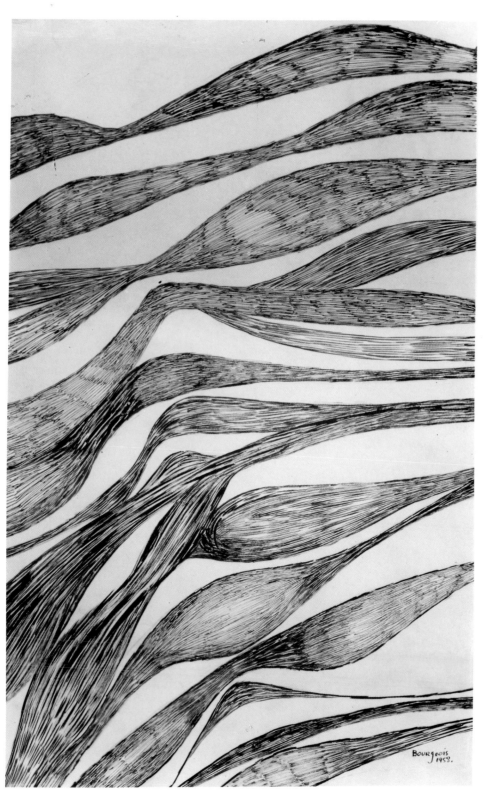

SANS TITRE 1953

Le but de La Destruction du père était d'exorciser la peur. Une fois que ça a été présenté au public – eh bien je me suis sentie différente. Je ne veux pas utiliser le terme thérapeutique mais en fait, exorciser c'est une entreprise thérapeutique. La raison de cette œuvre était la catharsis ou la purification.

Mon père me disait : «Tu es vraiment une charge », que j'étais ce que Simone de Beauvoir appelle « la bouche inutile ». Alors je suis devenue très féministe.

Je n'ai pas l'impression d'avoir plus souffert que les autres artistes. Les hommes se conduisent entre eux comme des loups. C'est une vérité générale. Cela existe dans le monde de l'art comme partout ailleurs.
Je ne me suis pas sentie négligée au fil des années. Pas du tout. J'ai travaillé, voilà tout. Je suis contente du succès que j'obtiens seulement parce que cela a attiré l'attention de la jeune génération. Elle seule m'apprécie et me comprend ; je veux lui parler. Je suis indifférente aux yeux de ma génération, autant qu'elle m'indiffère.

Mais le féminisme est important pour moi. The Blind Leading the Blind (L'Aveugle guidant l'aveugle) est une œuvre qui me rallie aux féministes. Une autre très proche, C.O.Y.O.T.E., portait le nom d'un syndicat professionnel de prostituées à New York : tout ce qu'elles pouvaient faire, c'est se serrer les coudes. Individuellement, elles ne peuvent pas même tenir sur leurs jambes ; en se soutenant, elles y parviennent. C'est également une remarque sur l'échec, sur le défaut et sur le handicap. Elles se blottissent les unes contre les autres et, grâce à l'attitude positive qu'elles ont, elles font appel à l'énergie nécessaire pour affronter le monde. Elles surpassent suffisamment leurs craintes pour finalement s'exprimer et être elles-mêmes.

C.O.Y.O.T.E. 1947-1949

Mon côté féministe s'exprime par l'intérêt que je porte à ce que font professionnellement certaines femmes. Mais je fais cavalier seul. Cela ne m'est d'aucune aide de m'associer aux gens. Ce qui m'aide, c'est de comprendre mes propres maladresses et de les exposer.

Les féministes m'ont prise comme modèle exemplaire de la mère. Etre une mère à nouveau ne m'intéresse pas. J'ai été une mère adoptive puis mère et re-mère ! Je demeure une fille qui cherche à se comprendre.

LOUISE BOURGEOIS PHOTOGRAPHIÉE PAR INGE MORATH

Supposons qu'un oiseau-mouche vienne souvent dans votre jardin. Mon travail est une tentative répétée de séduire quelqu'un. Si vous êtes trop entiché, si vous vous ruez sur l'oiseau, ou sur la personne : « Oh! tu es si beau, je voudrais t'attraper », vous effarouchez l'oiseau ou la personne, qui s'enfuit. Pour l'attirer, vous devez ralentir, retenir vos sentiments et lui permettre de s'habituer à vous, graduellement. Bien sûr, le premier baiser est le plus difficile. J'ai beaucoup d'expérience dans la séduction. C'est pour ça que ça m'intéresse. Comment séduire cette personne ? Et je ne parle pas de l'expression de soi. L'expression de soi est nulle. C'est inutile et nuisible. A l'instant même où vous parlez de vous, vous êtes défait. Il faut s'identifier à l'objet du désir. Ce qui m'intéresse c'est la couleur rouge des phloxs. Dans la séduction, je m'identifie à la couleur du phloxs auquel l'oiseau-mouche ne peut résister.

EYES 1974

J'ai été pendant des années préoccupée par l'idée des yeux.
Souvent, je les isole. Je suis intéressée par les membres,
par tout ce qui va par paire puisque le corps est symétrique.

LA MAISON DE CHOISY, ANNÉES 1910

Vous pouvez abandonner chaque jour qui passe, et l'accepter.
Sinon, faites de la sculpture.

CURVED HOUSE 1983

Vous vous devez de faire quelque chose à ce propos. Si vous ne pouvez abandonner le passé, vous devez le recréer. C'est ce que j'ai fait.

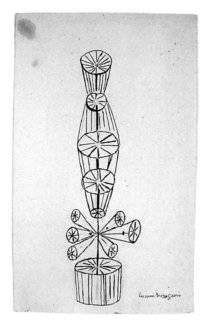

SANS TITRE 1949

Au début, j'ai utilisé des matériaux recyclés. En disant que les vieux matériaux ont de la valeur, on leur donne une tonalité poétique.

Le Broyeur, voilà un objet abandonné : la roue mesure huit pieds, elle est munie d'un pivot pour enrouler des câbles. C'est typiquement américain et trouve ici sa place en tant que nature morte ; désormais, elles ne sont plus faites en bois mais en métal. La hantise d'un passé américain récent, c'est la disparition de l'artisanat rural.

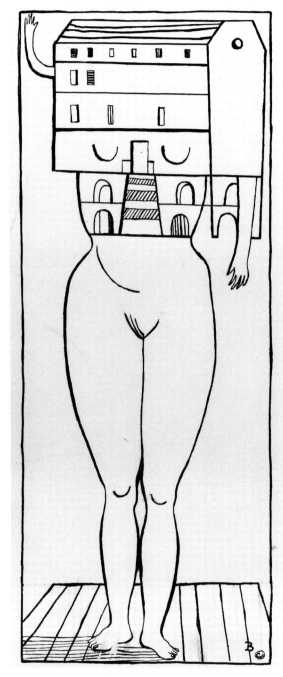

FEMME MAISON 1947

La peur de se sentir enfermé est devenue le désir d'enfermer l'autre.

PARTIAL RECALL 1979

En ce sens, je suis l'éternel chasseur. La balance du passif à l'actif.

NATURE STUDY 1984 (CIRE ROUGE)

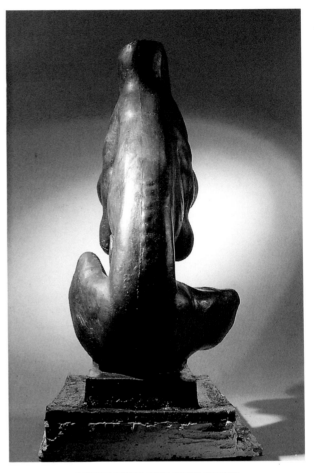

NATURE STUDY 1984 (CIRE ROUGE)

Je vais quelque part avec passion mais ce dont je ne suis pas sûre, c'est où je vais et où cela se trouve.

Je n'ai pas fait mon travail pour tout le monde, peut-être même pour personne. Je l'ai fait dans l'intention de survivre. C'était une nécessité élémentaire pour moi.

Dans mon œuvre, je ne parle pas du sexe. Je parle de son absence.

NATURE STUDY 1984 (BRONZE)

SANS TITRE 1950

L'inconscient est un monstre parce qu'il est intéressant tel
qu'il est, un monstre dont vous devriez vous tenir à l'écart parce
que « intéressant » en tant que tel. Laissez-le vivre.

NATURE STUDY, VELVET EYES 1984

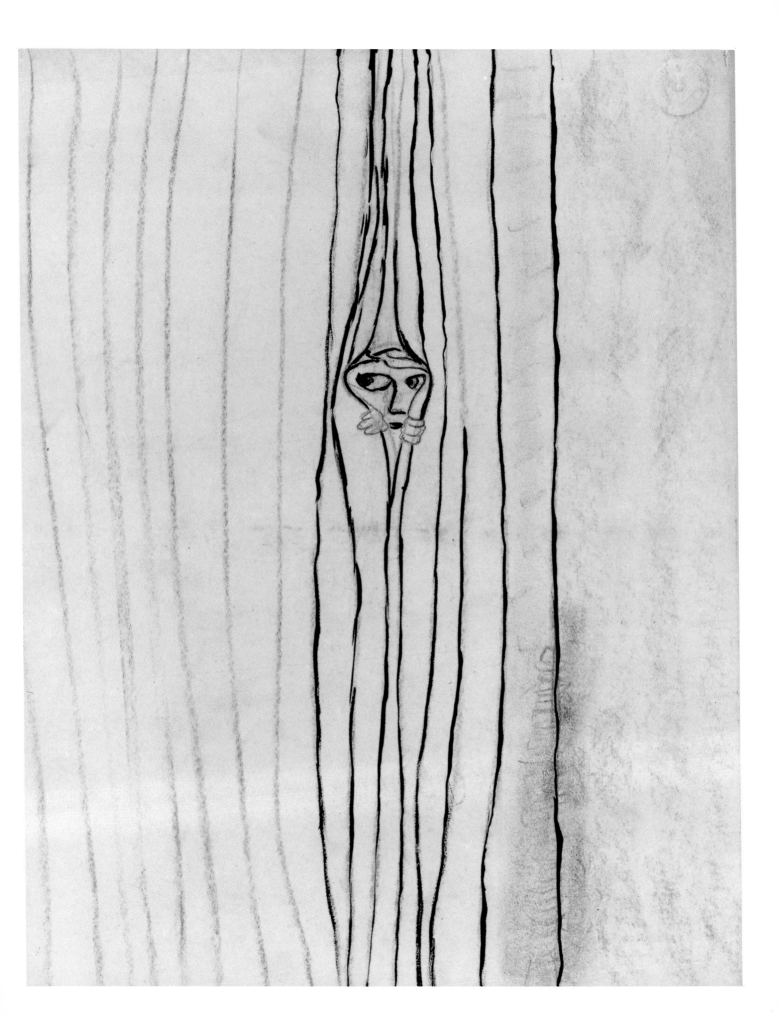

Je suis impudente, manipulatrice et je fais ce que je veux faire. Je ne me cache plus sous la table et je m'en sors. Pour cela, il faut d'abord conceptualiser ce que l'on veut faire ou tout au moins, en avoir une idée. Cette idée, comme je l'ai déjà mentionnée, vient d'un échec que l'on a subi. Un échec sur le pouvoir. Par exemple, si l'on a eu un désaccord avec quelqu'un dans son travail ou encore si l'on a un problème à régler avec qui que ce soit, on doit réussir à gérer ce problème sans critique ni tension.

Y parvenir est un effort considérable. Il y a de nombreuses sortes de tensions, mais, celle que j'essaye de résoudre, de soulager, c'est la tension sociale. Mon problème, c'est que je n'arrive absolument pas à organiser ces tensions. Cette perception des différences entre les individus me précipite dans la confusion et me bouleverse. Ce que dit A n'est pas ce que dit B. La tension qui se présente alors est produite par l'intensité, la méticulosité de l'examen que l'on me demande. C'est un des piliers de mon travail répétitif, je dois réussir à ne faire qu'un avec tous ces éléments, et cela m'est impossible car encore une fois, je prends position. Cela m'ébranle tellement qu'à chaque fois, le processus de sélection de la pensée refuse de se mettre en marche : par conséquent la confusion et la zizanie règnent.

Je trouve un moyen pour résoudre les difficultés en faisant une œuvre, en pensant à ce qu'il manque ici, en y réfléchissant petit à petit, la nuit ou quand je voyage, en me demandant « Qu'est-ce qui ne va pas ? Qu'est-ce qui manque ? » et ainsi de suite. C'est une façon de penser. C'est simplement un problème d'organisation, au niveau de la survie quotidienne. L'art, c'est à propos de la vie : afin de mener à bien ce que j'ai mené à bien. Je me suis prouvée à moi-même que j'étais capable d'organiser, et de faire mon travail. Il faut lire Pascal !

Je dois admettre quelque chose de terrible : je prends au petit déjeuner du thé sucré et je suis très sensible au sucre.

Cela dure jusqu'à près de onze heures, et c'est à ce moment précis que je commence à être inquiète.

Vers onze heures et demie, je vais jusqu'à Brooklyn en voiture et je reste dans mon studio toute la journée jusqu'à dix-sept ou dix-huit heures. Je dois rester complètement seule : comptable le matin, réalisatrice l'après-midi.

Je fais mon travail sur la pensée le matin et je consacre l'après-midi au travail physique. Je pense, je fais mes croquis et je conceptualise ; mais je ne veux pas conceptualiser si j'ai peur, si j'angoisse. Il est impossible de conceptualiser quand on est assailli par la peur. C'est pour cette raison que certains enfants n'arrivent pas à assimiler. Ils sont pétrifiés. Voyez ce que j'appelle mes « tanières ».

C'est une façon de s'excuser pour ne pas avoir pensé correctement. Je suis assaillie par tant d'images quand je prends conscience que mes pensées ne sont pas des métaphores convaincantes. Je vois des images les unes à côté des autres. L'ensemble est très visuel ; je pense de façon visuelle. Ces tanières fonctionnent comme des métaphores avec un ordre de priorité, selon les différents sujets. Des priorités dans la taille et apparemment, c'est le plus important. Voilà une liste de choses, mais ça ne me touche pas, ça n'évoque rien pour moi. J'essaye d'être cartésienne et c'est terriblement difficile. C'est ma façon de résoudre les problèmes, mes problèmes personnels. Tout ce à quoi je m'intéresse est d'ordre personnel. Et j'ai besoin de visualiser mes problèmes, de leur donner une forme physique avant de pouvoir les affronter. Donc, c'est une première approche pour tenter de les rendre physiques, de les différencier et de les classer. Le travail que j'effectue l'après-midi consiste à planifier leur réalisation.

SANS TITRE 1941

Colin-maillard : le chaos en haut, l'harmonie en bas.
Une expérience sexuelle. C'est aussi simple que ça.

SANS TITRE 1970

La spirale est une tentative de contrôle du chaos.
Mes spirales sont une pompe à vider l'anxiété.

« Le désarroi »

La petite figure en spirale est désorientée.

Elle est suspendue par un fil et ne sait pas où est

sa gauche et sa droite. Qui est-ce ? C'est moi.

HENRIETTE, LA SŒUR DE LOUISE,
SON MARI, GEORGES ET LA CHIENNE FOLETTE

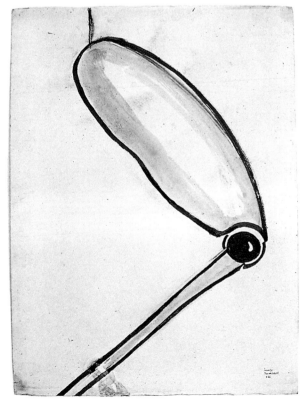

SANS TITRE 1986   HENRIETTE 1985

SANS TITRE 1950

A l'origine des pièces suspendues, il y a le souvenir du grenier parental dans lequel des sièges en bois étaient accrochés en l'air, en bon ordre.

LEGS 1986

Articulated Lair est une tentative de fuite face à l'envahisseur, face au visiteur effrayant. Bien sûr, je suis consciente que la peur du visiteur est une peur irrationnelle.

UNTITLED (WITH HAND) 1989

Je ne suis à la recherche ni d'une image ni d'une idée. Je veux créer une émotion, celle du désir, du don et de la destruction.

On éprouve des émotions comme un zombie et la vie passe alors à côté de nous. Etant donné que les peurs du passé sont connectées avec les fonctions du corps, elles réapparaissent par le biais du corps. Pour moi, la sculpture est un corps. Mon corps est une sculpture.

CHICAGO SCULPTURE COMMISSION FOR JANE ADAMS (DÉTAIL) 1993

CHICAGO SCULPTURE COMMISSION FOR JANE ADAMS (DÉTAIL) 1993

DÉCONTRACTÉE 1990

Le miroir, c'est l'acceptation de soi. J'ai vécu dans une maison sans miroir parce que je n'arrivais pas à m'accepter. Le miroir était mon ennemi, mais il ne doit pas être un ennemi, il doit être un ami...
Qu'il y ait des yeux qui voient la réalité ou qu'il y en ait qui voient un monde imaginaire, personne ne pourra m'empêcher de voir ce qui EST et non ce que j'aimerais qui SOIT.

Les mains, crispées fermement à cause
de la douleur, sont faites de pierre.
La douleur, c'est comme la pierre, c'est
indestructible. Elle vient de la rage que
l'on éprouve à ne pas savoir comment
comprendre et comment apprendre.
Cette résistance est inconsciente et mon
incapacité à progresser me rend malade.

CELL II (DÉTAIL) 1991

On recueille tous ses propres pensées de temps en temps. Assis dans un coin, la tête cachée dans les mains, on récapitule toutes les méchantes paroles que les autres ont dites à notre propos. Toutes les impulsions de revanche que l'on a jamais eu l'occasion d'explorer émergent. Si l'on n'a pas pitié de soi-même, qui en aura pour nous ?

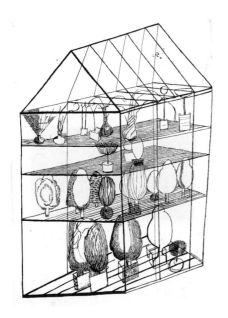

SANS TITRE 1946

Le présent détruit le passé
et cette cruauté est
représentée par la guillotine.

CELL I 1991

Au lit, tapie dans la peur, la personne se cache dans cette cellule. Elle cache l'état de sa maladie. Elle a de bonnes raisons d'avoir peur. Elle est physiquement malade et apeurée, effrayée par la mort. Mais ce n'est pas si simple, elle a d'autres peurs. Ce qui ne se justifie pas, c'est sa peur que des gens découvrent sa maladie. Elle a peur de ne pas avoir d'amis ou de perdre ceux qu'elle a.

Certains maux sont considérés comme honteux parce que chargés de péchés. Aussi est-elle extrêmement jalouse de son intimité et effrayée par les témoins. Elle a peur que les gens fourrent leur nez dans son intimité. Alors qu'elle projette sa peur d'être vue, elle est à elle-même un voyeur en puissance. Ce qui est exprimé par les fenêtres. Si on peut voir dehors, on peut voir dedans. La limpidité du verre, c'est l'absence de sécurité.

CELL I (DÉTAIL) 1991

CELL I (DÉTAIL) 1991

Les cellules représentent différents types de douleurs : physique, émotionnelle et psychologique ; mentale et intellectuelle.

Pas de remèdes ni d'excuses pour la douleur. Je sais que je ne peux ni l'éliminer ni la supprimer. La douleur, c'est mon affaire.

CELL I (DÉTAIL) 1991

Donner sens et forme à la frustration et à la souffrance. Ce qui advient à mon corps doit se retrouver dans une expression formelle abstraite.

La douleur est la rançon du formalisme.

SANS TITRE 1947

Le silence est une rage refoulée.

CELL IV (DÉTAIL) 1991

« Pourquoi parlez-vous autant ? Qu'avez-vous donc
à cacher ? » La Rochefoucault.
Il faut le silence complet pour faire place aux autres.

PRECIOUS LIQUIDS 1992

Precious Liquids se rapporte à une fille qui grandit et trouve la passion au lieu de la terreur. Elle cesse d'être effrayée et connaît la passion.

Le verre devient métaphore pour les muscles du corps ; représentation des émotions, du mécanisme de l'instabilité. Quand les muscles se relâchent et que la tension redescend, un liquide est sécrété. Les émotions internes deviennent physiquement liquides, déclenchent la sécrétion d'une substance précieuse. Ainsi, quand vous vous autorisez à pleurer, les larmes indiquent la fin de la souffrance, ou quand la transpiration vous vient dans le dos à cause de l'appréhension dans laquelle vous êtes, cela indique le contrôle et la résolution de la peur. La sécrétion de liquide peut être intensément agréable.

POIDS 1992

Balancement. Passage du temps. Valeur du temps.
Comme l'expliquaient les Parques, celle qui carde, celle qui file
et celle qui coud : quand le fil casse, c'est la fin de l'histoire.

Ma mère s'asseyait dehors au soleil et raccommodait une tapisserie ou un petit point. Elle adorait faire cela. Le sens du raccommodage est ancré en moi. Je casse tout ce que je touche parce que je suis violente. Je détruis les relations que j'ai avec mes amis, mes amours et mes enfants. En général les gens ne peuvent pas le soupçonner, mais je suis cruelle et c'est présent dans mes travaux. Je casse les choses parce que j'ai peur et je passe mon temps à réparer. Je suis sadique parce que j'ai peur.

Si les aiguilles, les piques et les couteaux vous effrayent, vous serez handicapé dans votre sensibilité.

La peur fait tourner le monde.
Qu'est-ce qui fait tourner votre monde ?

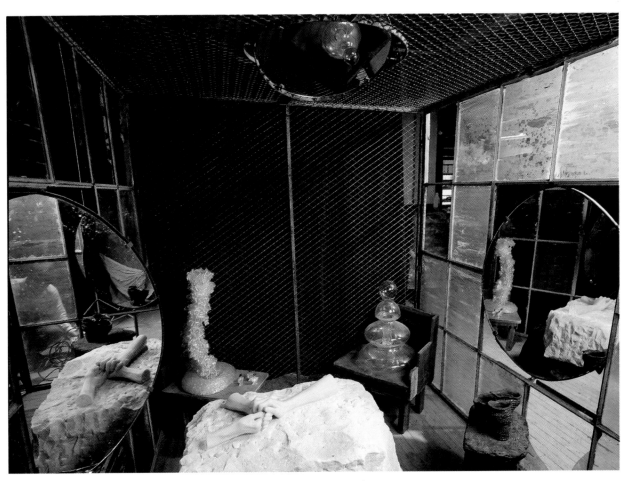

CELL (YOU BETTER GROW UP) (DÉTAIL) 1993

Cette œuvre se réfère à l'inéluctable, à une prison et à ses occupants, ainsi qu'à une cellule biologique ; et en conclusion morale : on a intérêt à grandir.

CELL (ARCH OF HYSTERIA) 1992-1993

NO EXIT 1989

Rouge est la couleur du sang

Rouge est la couleur de la douleur

Rouge est la couleur de la violence

Rouge est la couleur du danger

Rouge est la couleur de la honte

Rouge est la couleur de la jalousie

Rouge est la couleur des reproches

Rouge est la couleur des ressentiments

RED ROOM (THE PARENTS) 1994

RED ROOM (THE CHILD) 1994

Vous n'aurez jamais le temps !
Voulez-vous être avec votre temps ?
Le perdez-vous ?
Je n'aurai jamais le temps.
Tous les matins, je me dis : « J'ai la chance
d'avoir ce jour, fais-en quelque chose. »

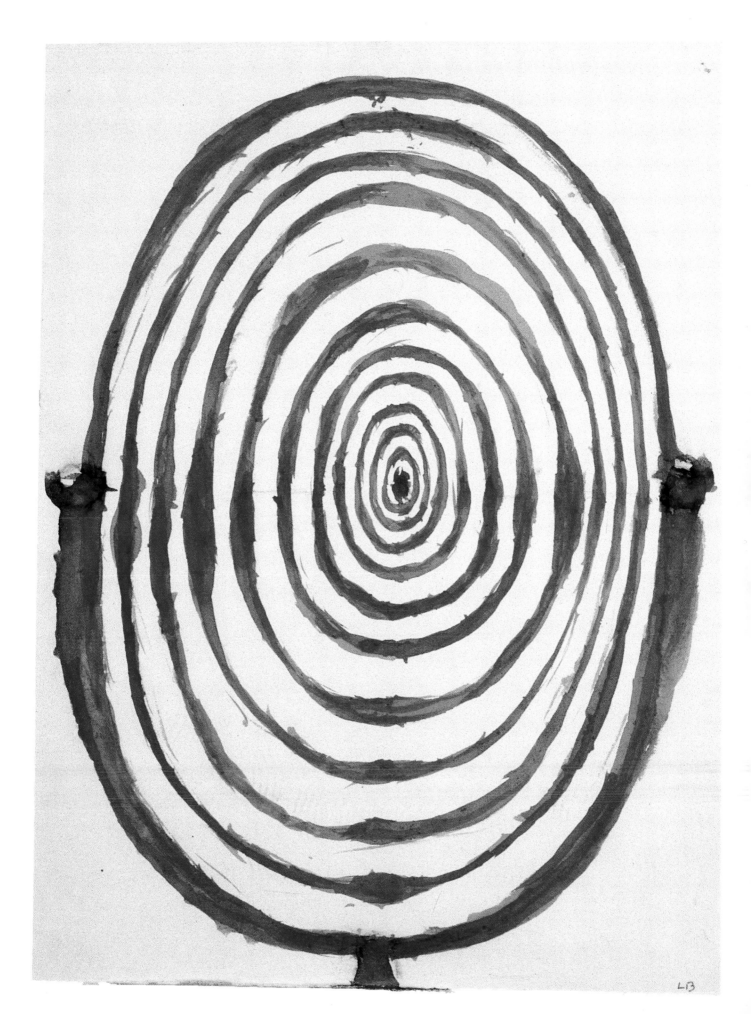

THE NEST 1994

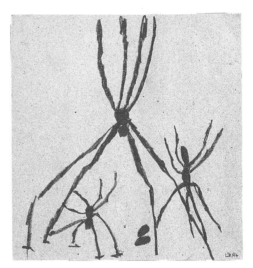

SPIDER 1994

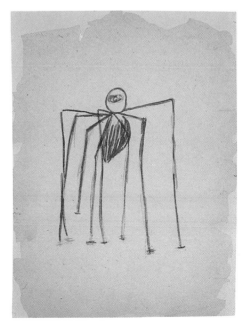

SANS TITRE 1947

SPIDERS 1995

L'araignée c'est ma mère, toutes deux victimes de leur fragilité et de leur petite taille, la coquetterie de la dentelle faisant pendant à la toile.

SPIDER 1994

Je n'ai pas d'ego. Je suis mon œuvre.
Je ne recherche pas une identité, je n'ai que trop d'identité.

Je suis une femme sans secret. Simplement parce que ma vie de tous les jours est l'anéantissement de mon passé. Je sens que si j'avais complètement anéanti le passé, je serais à même d'apprendre ce qu'est la réalité d'aujourd'hui. Rien de « privé » n'est un risque. Le privé devrait être compris, résolu, conditionné et expédié et non pas recyclé. Oublié pour toujours.

La peur me fait poser une question : « Est-ce que je suis passée à côté de la vie ? » Je n'arrive pas à mettre une distance entre l'immédiat et l'éternel.

Liste des œuvres

Spiral Woman, 1951-1952
Bois et acier
H. 158,7 cm
Collection de l'artiste, courtesy
Robert Miller Gallery, New York
P. 89.

Forêt (Night Garden), 1953
Bois peint
94 x 47,9 x 37,5 cm
Greenville Museum
of Art, Greenville,
Caroline du Sud
P. 93.

Labyrinthine Tower, 1962 *
Bronze
H. 45,7 cm
Collection de l'artiste, courtesy
Robert Miller Gallery, New York
Reproduction de la version
en plâtre, p. 98.

Lair, 1962
Plâtre
H. 50,8 cm
Collection de l'artiste, courtesy
Robert Miller Gallery, New York
P. 99.

Lair, 1963 *
Latex
24,1 x 42,5 x 36,5 cm
Courtesy Galerie Karsten Greve,
Cologne, Paris, Milan, et Robert
Miller Gallery, New York
P. 96.

Fée couturière, 1963 *
Plâtre
100,3 x 57,2 cm
Collection de l'artiste, courtesy
Robert Miller Gallery, New York
P. 102.

Double Negative, 1963
Latex sur plastique
49,2 x 95,3 x 79,7 cm
Rijksmuseum Kröller-Müller,
Otterlo, Pays-Bas
P. 109.

Torso / Self Portrait,
1963-1964
Plâtre
62,8 x 40,6 x 18 cm
The Museum of Modern Art,
New York
P. 101.

Le Regard, 1966 *
Latex et tissu
12,7 x 39,4 x 36,8 cm
Collection de l'artiste, courtesy
Robert Miller Gallery, New York
P. 103.

Germinal, 1967
Marbre
14 x 18,7 x 15,9 cm
Collection de l'artiste, courtesy
Robert Miller Gallery, New York
P. 105.

Sleep II, 1967
Marbre
59,4 x 76,8 x 60,3 cm
Collection de l'artiste, courtesy
Robert Miller Gallery, New York
P. 95.

Soft Landscape II, 1967 *
Albâtre
16,5 x 36 x 25 cm
Kunstmuseum, Berne
P. 108.

Colonnata, 1968
Marbre

58,4 x 83,2 x 69,2 cm
Collection de l'artiste, courtesy
Robert Miller Gallery, New York
P. 106.

Janus fleuri, 1968 *
Bronze
25,7 x 31,8 x 21,3 cm
Collection de l'artiste, courtesy
Robert Miller Gallery, New York
P. 47.

Fillette, 1968 *
Latex
59,6 x 26,6 x 19,5 cm
The Museum of Modern Art, New
York, don de l'artiste en mémoire
d'Alfred H. Barr Jr., 1992
P. 114.

Avenza Revisited II, 1968-1969 *
Bronze, patine noire polie
130,8 x 104,1 x 191,8 cm
Collection de l'artiste, courtesy
Robert Miller Gallery, New York
PP. 110-111.

Cumul I, 1969 *
Marbre
56,5 x 127 x 121,9 cm
Musée national d'art moderne,
Centre Georges Pompidou, Paris,
P. 113.

Untitled (Hand), 1970 *
Cire et tissu
4,4 x 19 x 12,7 cm
Collection de l'artiste, courtesy
Robert Miller Gallery, New York
P. 123.

Rabbit, v. 1970
Bronze
57,2 x 27,9 x 15,2 cm

The Solomon R. Guggenheim
Museum, New York
P. 124.

The Destruction of the Father,
1974 *
Latex, plâtre et matériaux mixtes
237,8 x 363,3 x 248,7 cm
Collection de l'artiste, courtesy
Robert Miller Gallery, New York
P. 130.

Maisons fragiles, 1978 *
Acier
H. 213,3 et 183,2 cm
Collection de l'artiste, courtesy
Galerie Lelong, Zurich
P. 134.

Confrontation, 1978
Bois peint, latex et tissu
environ 11,3 x 6,1 m
The Solomon R. Guggenheim
Museum, New York
P. 22.

Partial Recall, 1979
Bois peint
274,5 x 229 x 167,5 cm
Collection particulière, New York
P. 151.

Eyes, 1982
Marbre
185,4 x 165,1 x 114,3 cm
Metropolitan Museum of Art,
New York
PP. 140 et 143.

Curved House, 1983 *
Marbre
29 x 8,5 x 60 cm
Kunstmuseum, Berne
P. 145.

Shredder, 1983
Bois et métal
210,8 x 149,9 x 210,8 cm
Collection particulière
P. 146.

Femme maison, 1983
Marbre
63,5 x 49,5 x 58,4 cm
Collection de l'artiste, courtesy
Robert Miller Gallery, New York
P. 149.

Nature Study, 1984 *
Cire rouge sur plâtre
76,2 x 48,2 x 38,1 cm
Collection de l'artiste, courtesy
Robert Miller Gallery, New York
P. 152.

Nature Study, 1984 **
Bronze, patine noire
76,2 x 48,2 x 38,1 cm
Collection Emily Fisher Landau,
New York

Nature Study, 1984
Bronze
76,2 x 48,2 x 38,1 cm
Whitney Museum of American
Art, New York
P. 153.

Nature Study, *Velvet Eyes*,
1984
Marbre
66 x 83,8 x 68,6 cm
Collection Michael et Joan Salke,
Boston
P. 155.

Blind Man's Buff, 1984 *
Marbre
92,7 x 88,9 x 63,5 cm

Courtesy Galerie Karsten Greve,
Cologne, Paris, Milan, et Robert
Miller Gallery, New York
P. 161.

Spiral Woman, 1984 *
Bronze
35,5 x 11,4 x 13,9 cm
Collection particulière, New York
P. 163.

Henriette, 1985 *
Bronze
152,5 x 33 x 30,5 cm
Collection de l'artiste, courtesy
Robert Miller Gallery, New York
P. 165.

Legs, 1986 *
Caoutchouc
312,4 x 5,1 x 5,1 cm
Collection Jerry Gorovoy,
New York
P. 167.

Articulated Lair, 1986 *
Acier peint et caoutchouc
H. 335 cm, largeur et profondeur
variables
The Museum of Modern Art,
New York, don de Lily Auchincloss
et de l'artiste en l'honneur de
Deborah Wye (échange)
PP. 168-169.

Lair, 1986 **
Caoutchouc
109,2 x 53,3 x 53,3 cm
Collection de l'artiste, courtesy
Robert Miller Gallery, New York

Untitled (with Foot), 1989 *
Marbre rose
76,2 x 66 x 53,3 cm

Corcoran Gallery of Art,
Washington, D.C., acquisition
grâce au William A. Clark Fund,
au Women's Committee of the
Corcoran Gallery of Art, à William
E. Share (échange) et aux
souscriptions régulières
P. 171.

No Exit, 1989 *
Bois, métal peint et caoutchouc
209,5 x 213,3 x 243,8 cm
Collection Ginny Williams,
Denver, Colorado
PP. 208-209.

Untitled (with Hand), 1989
Marbre rose
78,7 x 77,5 x 53,3 cm
Collection Jerry Gorovoy,
New York
P. 170.

Cell (Eyes and Mirrors),
1989-1993 *
Marbre, miroirs, acier et verre
236,2 x 210,8 x 218,5 cm
The Tate Gallery, Londres
P. 177.

Décontractée, 1990 *
Marbre rose et acier
72,3 x 91,4 x 58,4 cm
The Brooklyn Museum, New York,
acquisition grâce au Mary Smith
Dorward Fund, au Contemporary
Art Council, à la David H. Cogan
Foundation Inc., à Harry Kahn, à
Mme Carl Selden et au don de
Edward A. Bragaline (échange)
P. 175.

Gathering Wool, 1990
Métal et bois

243,8 x 396,2 x 457,2 cm
Collection de l'artiste, courtesy
Robert Miller Gallery, New York
PP. 182-183.

Cell (Glass Spheres and Hands) ,
1990-1993 *
Verre, marbre, bois, métal et tissu
218,4 x 218,4 x 210,8 cm
National Gallery of Victoria,
Melbourne
PP. 178-179.

Cell (Choisy), 1990-1993
Marbre, métal et verre
306,1 x 170,2 x 241,3 cm
Collection Ydessa Hendeles
Foundation, Toronto
P. 184.

Cell I, 1991 *
Matériaux mixtes
210,8 x 243,8 x 274,3 cm
Collection de l'artiste, courtesy
Robert Miller Gallery, New York
PP. 186 à 189.

Cell II, 1991 *
Matériaux mixtes
210,8 x 152,4 x 152,4 cm
The Carnegie Museum of Art,
Pittsburgh, don de la famille Heinz
P. 180.

Cell III, 1991
Matériaux mixtes
281 x 331,4 x 419,4 cm
Collection Ydessa Hendeles
Foundation, Toronto
PP. 194-195.

Cell IV, 1991 *
Matériaux mixtes
208,2 x 213,3 x 213,3 cm

Collection Ginny Williams,
Denver, Colorado
P. 192.

Cell VI, 1991
Bois peint et métal
160 x 114,3 x 114,3 cm
Collection de l'artiste, courtesy
Robert Miller Gallery, New York
P. 190.

Le Défi, 1991
Verre, bois et lumière électrique
171,4 x 147,3 x 66 cm
The Solomon R. Guggenheim
Museum, New York
P. 181.

Precious Liquids, 1992
Bois et matériaux mixtes
426,7 x 445,1 cm
Musée national d'art moderne,
Centre Georges Pompidou, Paris
PP. 196-197.

Poids, 1992
Acier, verre et tissu
238,7 x 304,8 x 68,5 cm
Courtesy Galerie Karsten Greve,
Cologne, Paris, Milan, et Robert
Miller Gallery, New York
P. 198.

Poids, 1992 *
Acier, verre et eau
238,7 x 304,8 x 68,5 cm
Courtesy Galerie Karsten Greve,
Cologne, Paris, Milan, et Robert
Miller Gallery, New York
P. 199.

Needle (Fuseau), 1992 *
Acier, lin, miroir et bois
276,8 x 256,5 x 142,2

Courtesy Galerie Karsten Greve,
Cologne, Paris, Milan, et Robert
Miller Gallery, New York
P. 201.

Bullet Hole, 1992
Acier, verre et bois
228,6 x 259 x 180,3 cm
Courtesy Galerie Karsten Greve,
Cologne, Paris, Milan, et Robert
Miller Gallery, New York
PP. 202-203.

Cell (Arch of Hysteria),
1992-1993
Acier, bronze, fer moulé
et tissu
302,3 x 368,3 x 304,8 cm
Collection de l'artiste, courtesy
Robert Miller Gallery, New York
P. 206.

Arch of Hysteria, 1993 *
Bronze poli
83,8 x 101,6 x 58,4 cm
Collection de l'artiste, courtesy
Robert Miller Gallery, New York
P. 207.

Cell (You Better Grow Up),
1993
Acier, verre, marbre, céramique
et bois
210,8 x 208,3 x 212,1 cm
Courtesy Galerie Karsten Greve,
Cologne, Paris, Milan, et Robert
Miller Gallery, New York
PP. 204 et 205.

In Respite, 1993 *
Acier, fil et caoutchouc
328,9 x 81,2 x 71,1 cm
Courtesy Galerie Karsten Greve,
Cologne, Paris, Milan, et Robert

Miller Gallery, New York
P. 210.

Sutures, 1993 *
Acier, fil, caoutchouc, aiguille et
épingle émaillée
274,3 x 104,1 x 88,9 cm
Courtesy Galerie Karsten Greve,
Cologne, Paris, Milan, et Robert
Miller Gallery, New York
P. 211.

*Chicago Sculpture Commission
for Jane Adams*, 1993
Granit, six pièces
N° 2/6 : 116,8 x 48,2 x 33 cm,
P. 174, haut.
N° 3/6 : 119,3 x 49,5 x 31,7 cm,
P. 174, bas.

Red Room (The Parents),
1994
Matériaux mixtes
247,7 x 426,7 x 424,2 cm
Collection de l'artiste, courtesy
Robert Miller Gallery, New York
PP. 212-213.

Red Room (The Child), 1994
Matériaux mixtes
210,8 x 353 x 274,3 cm
Musée d'Art contemporain,
Montréal
P. 214.

The Nest, 1994 *
Acier
256,1 x 480,1 x 401,3 cm
Collection de l'artiste, courtesy
Robert Miller Gallery, New York
PP. 216-217.

Spiders, 1995 *
Acier

Collection de l'artiste, courtesy
Robert Miller Gallery, New York
P. 218.

**DESSINS, PEINTURES
ET GRAVURES**

Sans titre, non daté *
Encre sur papier
22,2 x 29,8 cm
Courtesy Galerie Karsten Greve,
Cologne, Paris, Milan, et Robert
Miller Gallery, New York
P. 91, droite.

Self-Portrait, 1938 **
Crayon sur papier quadrillé
27,9 x 21,5 cm
Collection de l'artiste, courtesy
Robert Miller Gallery, New York

Sans titre, 1940 *
Crayon sur papier
15,4 x 12,3 cm
Collection de l'artiste, courtesy
Robert Miller Gallery, New York
P. 126, droite.

Sans titre, 1940
Crayon sur papier
28 x 22,2 cm
Collection particulière
P. 107.

Sans titre, 1941 *
Encre sur papier quadrillé
28 x 22 cm
Collection de l'artiste, courtesy
Robert Miller Gallery, New York
P. 160.

Sans titre, 1943 **
Encre sur papier

22,9 x 14 cm
Collection Galerie Karsten Greve,
Cologne, Paris, Milan

Sans titre, 1943 **
Encre sur papier bleu
12,3 x 7,6 cm
Collection de l'artiste, courtesy
Robert Miller Gallery, New York

Sans titre, 1943 **
Crayon sur papier
12,7 x 15,2 cm
Collection de l'artiste, courtesy
Robert Miller Gallery, New York

Sans titre, 1944 **
Encre et gouache sur papier
30,5 x 23 cm
The Solomon R. Guggenheim
Museum, New York

Sans titre, 1944 **
Encre sur papier
48,3 x 31,8 cm
Collection de l'artiste, courtesy
Robert Miller Gallery, New York

Figure at Door, 1945 **
Encre et fusain sur papier
29,2 x 18,4 cm
Collection de l'artiste, courtesy
Robert Miller Gallery, New York

Sans titre, 1946 **
Encre sur papier bleu
30,1 x 22,5 cm
Collection de l'artiste, courtesy
Robert Miller Gallery, New York

Sans titre, 1946 *
Encre et fusain sur carte
24,1 x 34,9 cm
Collection de l'artiste, courtesy

Robert Miller Gallery, New York
P. 66.

Sans titre, 1946 *
Encre sur papier
14,2 x 12,7 cm
Collection de l'artiste, courtesy
Robert Miller Gallery, New York
P. 126, gauche.

Sans titre, 1946 *
Encre sur papier
21,5 x 21,5 cm
Collection de l'artiste, courtesy
Robert Miller Gallery, New York
P. 128, gauche.

Sans titre, 1946
Encre sur papier
61,6 x 46,4 cm
Whitney Museum of American
Art, New York
P. 185.

Sans titre, 1947 **
Encre et fusain sur papier
20,3 x 12,7 cm
Collection Georg Wolf, Cologne

Sans titre, 1947 *
Encre sur papier quadrillé
22 x 28 cm
Collection Galerie Lelong, Zurich
P. 191.

Sans titre, 1947 **
Encre sur papier
28 x 21,6 cm
Courtesy Galerie Karsten Greve,
Cologne, Paris, Milan, et Robert
Miller Gallery, New York

Sans titre, 1947 **
Encre sur papier

28 x 19,4 cm
Courtesy Galerie Karsten Greve,
Cologne, Paris, Milan, et Robert
Miller Gallery, New York

A Mother and the Jewels in her
Crown, 1947 **
Crayon sur papier
21,5 x 8,8 cm
Collection de l'artiste, courtesy
Robert Miller Gallery, New York

Sans titre, 1947 **
Encre rose, gouache et fusain sur
papier brun
29 x 23 cm
Collection de l'artiste, courtesy
Robert Miller Gallery, New York

Sans titre, 1947 **
Encre sur carton d'illustration
24,7 x 35,5 cm
Collection de l'artiste, courtesy
Robert Miller Gallery, New York

Sans titre, 1947 *
Encre et fusain sur papier brun
29,2 x 22,2 cm
Collection de l'artiste, courtesy
Robert Miller Gallery, New York
P. 217, bas.

Sans titre, 1947 **
Encre et fusain sur papier à
imprimer
28,2 x 21,5 cm
Collection de l'artiste, courtesy
Robert Miller Gallery, New York

Sans titre, 1947 **
Encre et crayon sur papier
32 x 24 cm
Collection de l'artiste, courtesy
Robert Miller Gallery, New York

Girl Falling, 1947
Fusain et encre sur papier
28,5 x 17,8 cm
Collection Leonard et
Susan Bay Nimoy
P. 62.

St. Sebastienne, 1947
Aquarelle et crayon sur papier rose
27,9 x 18,4 cm
Collection Wendy Williams,
New York
P. 65.

Femme maison, 1947
Encre sur papier
23,2 x 9,2 cm
The Solomon R. Guggenheim
Museum, New York
P. 148.

Regrettable Incident in the
Louvre Palace, 1947 **
Huile sur toile
35,9 x 91,4 cm
Collection de l'artiste, courtesy
Robert Miller Gallery, New York

He Disappeared into Complete
Silence, 1947
Neuf gravures et poèmes,
impression en noir
25,5 x 35,5 cm
Edition Gemor Press, New York
The Museum of Modern Art,
New York, Abby Aldrich
Rockefeller Fund
PP. 29 à 33.

Sans titre, 1947-1950 **
Encre et fusain sur papier
28,2 x 21,5 cm
Collection de l'artiste, courtesy
Robert Miller Gallery, New York

Sans titre, 1947-1952 **
Encre rouge et traces de crayon
rouge sur papier
29,3 x 18,7 cm
Collection de l'artiste, courtesy
Robert Miller Gallery, New York

Sans titre, 1948 **
Encre et crayon sur papier
33 x 48 cm
Collection de l'artiste, courtesy
Robert Miller Gallery, New York

Sans titre, 1948 **
Encre sur papier
21,5 x 28 cm
Collection de l'artiste, courtesy
Robert Miller Gallery, New York

Sans titre, 1948 **
Encre et fusain sur papier
21,5 x 26,3 cm
Collection de l'artiste, courtesy
Robert Miller Gallery, New York

Sans titre, 1949 *
Encre sur papier
46 x 18 cm
Collection Jean Frémon, Paris
P. 60.

Sans titre, 1949 **
Encre sur papier
46 x 18 cm
Collection Jean Frémon, Paris

Sans titre, 1949 **
Encre sur papier
46 x 18 cm
Collection Jean Frémon, Paris

Sans titre, 1949 *
Encre sur papier
28 x 20,7 cm

Courtesy Galerie Karsten Greve,
Cologne, Paris, Milan, et Robert
Miller Gallery, New York
P. 81, bas.

Les Voleuses de gratte-ciel,
1949 **
Crayon sur papier
20,3 x 12,7 cm
Collection de l'artiste,
courtesy Robert Miller Gallery,
New York

Sans titre, 1949 *
Encre et crayon sur papier
18 x 28,2 cm
Collection de l'artiste, courtesy
Robert Miller Gallery, New York
P. 97.

Sans titre, 1949 **
Encre, gouache et fusain sur
papier brun
57 x 38 cm
Collection de l'artiste, courtesy
Robert Miller Gallery, New York

Sans titre, 1949 **
Encre sur papier
28 x 21,5 cm
Collection de l'artiste, courtesy
Robert Miller Gallery, New York

Sans titre, 1949 *
Encre et fusain sur papier
28,8 x 21,5 cm
Collection de l'artiste, courtesy
Robert Miller Gallery, New York
P. 81, centre.

Sans titre, 1949 *
Encre sur papier
26,6 x 18,4 cm
Collection de l'artiste, courtesy

Robert Miller Gallery, New York
P. 81, haut.

Sans titre, 1949
Encre sur papier
58,4 x 40,6 cm
Courtesy Barbara Gross Galerie,
Munich
P. 92.

Sans titre, 1949
Encre sur papier
29,2 x 18,4 cm
Collection de l'artiste, courtesy
Robert Miller Gallery, New York
P. 147.

Sans titre, 1950 **
Encre sur papier
36,8 x 55,9 cm
Collection Jerry Gorovoy,
New York

Sans titre, 1950 **
Encre sur carton
35,5 x 27,9 cm
Collection Agnes Gund, New York

Sans titre, 1950 **
Encre sur papier
28 x 21,2 cm
Collection de l'artiste, courtesy
Robert Miller Gallery, New York

Sans titre, 1950 *
Encre sur papier
9 x 21,6 cm
Collection Galerie Lelong,
Zurich
P. 154.

Sans titre, 1950 **
Encre sur papier
20,3 x 13,3 cm

Collection de l'artiste, courtesy
Robert Miller Gallery, New York

*Sans titre,*1950 *
Encre et craie sur papier brun
24 x 39,3 cm
Collection de l'artiste, courtesy
Robert Miller Gallery, New York
P. 90, gauche.

Sans titre, 1950 *
Encre sur papier
13 x 20 cm
Collection de l'artiste, courtesy
Robert Miller Gallery, New York
P. 91, gauche.

Sans titre, 1950 *
Encre sur papier
29,2 x 24,7 cm
Collection de l'artiste, courtesy
Robert Miller Gallery, New York
P. 90, droite.

Sans titre, 1950 *
Encre et stylo à bille sur papier
28 x 19 cm
Collection de l'artiste, courtesy
Robert Miller Gallery, New York
P. 166.

Sans titre, 1950
Encre et fusain sur échantillon
de papier
35,5 x 27,9 cm
Collection Jane M. Timken,
New York
P. 156.

Sans titre, 1951 **
Encre sur papier
23,1 x 17,7 cm
Collection de l'artiste, courtesy
Robert Miller Gallery, New York

Sans titre, 1951 *
Encre grise et noire sur papier
31,7 x 16,8 cm
Collection de l'artiste, courtesy
Robert Miller Gallery, New York
P. 136.

Sans titre, 1951 **
Encre sur papier
53,4 x 67,3 cm
Courtesy Karsten Greve, Cologne,
Paris, Milan, et Robert Miller
Gallery, New York

Sans titre, 1952 **
Aquarelle sur papier
49,5 x 33 cm
Collection de l'artiste, courtesy
Robert Miller Gallery, New York

Sans titre, 1953 **
Encre sur papier
32,3 x 17,1 cm
Collection de l'artiste, courtesy
Robert Miller Gallery, New York

Sans titre, 1953
Encre sur papier
56,5 x 36,2 cm
Collection de l'artiste, courtesy
Robert Miller Gallery, New York
P. 129.

Sans titre, 1955 *
Encre sur papier
35 x 28 cm
Collection de l'artiste, courtesy
Robert Miller Gallery, New York
P. 85.

Concentric Growth,
années 1960
Encre sur papier bleu
33 x 23,5 cm

Courtesy Galerie Krinzinger,
Vienne, Autriche
P. 128, droite.

Sans titre, milieu des
années 1960 *
Encre sur papier brun
30,4 x 21,5 cm
Collection de l'artiste, courtesy
Robert Miller Gallery, New York
P. 86.

Figure abstraite, milieu des
années 1960 **
Encre sur papier
27,3 x 20,9 cm
Collection de l'artiste, courtesy
Robert Miller Gallery, New York

Sans titre, milieu des
années 1960 **
Encre sur papier
30,7 x 16,1 cm
Collection de l'artiste, courtesy
Robert Miller Gallery, New York

Sans titre, 1968 *
Encre sur papier
30,4 x 40,6 cm
Collection de l'artiste, courtesy
Robert Miller Gallery, New York
P. 112.

Sans titre, 1968 **
Aquarelle sur papier
35,5 x 27,9 cm
Collection de l'artiste, courtesy
Robert Miller Gallery, New York

Sans titre, 1968 **
Encre brune sur papier
35,6 x 27,9 cm
Collection de l'artiste, courtesy
Robert Miller Gallery, New York

Sans titre, 1969 **
Bâton d'huile sur papier
21,5 x 28 cm
Collection de l'artiste, courtesy
Robert Miller Gallery, New York

Sans titre, 1970
Gouache et aquarelle sur papier
66 x 103,5 cm
Collection Hill Gallery,
Birmingham, Michigan
P. 162.

Eyes, 1974
Stylo à bille sur papier
7,6 x 12,7 cm
Courtesy Galerie Krinzinger,
Vienne, Autriche
P. 141.

Sans titre, 1986 **
Encre et crayon sur papier
21,5 x 13,9 cm
Collection de l'artiste, courtesy
Robert Miller Gallery, New York

*1986 Hip Rotary Articulation /
Knee*, 1986 **
Plastique et épingles à nourrice
sur papier
28 x 21,5 cm
Collection de l'artiste, courtesy
Robert Miller Gallery, New York

Sans titre, 1986 *
Aquarelle, encre, huile, fusain et
crayon sur papier
61 x 48 cm
Collection de l'artiste, courtesy
Robert Miller Gallery, New York
P. 74.

Sans titre, 1986 *
Encre et gouache sur papier

65,4 x 50,1 cm
Collection de l'artiste, courtesy
Robert Miller Gallery, New York
P. 164.

*I Love You, Do You Love Me ? Yes
No*, 1987 **
Encre sur papier quadrillé
26,6 x 20,3 cm
Collection Jerry Gorovoy,
New York

*I Love You Even If You Don't Love
Me*, 1987 **
Encre sur papier quadrillé
26,6 x 20,3 cm
Collection Jerry Gorovoy, New York

Sans titre, 1990 **
Latex cousu sur papier rose
33 x 25,4 x 3,8 cm
Collection Caroline et Dick
Andersen, Greenwich,
Connecticut, courtesy Galerie
Lelong, New York

Sans titre, 1991 **
Encre rouge et crayon sur papier
29,8 x 22,8 cm
Collection de l'artiste, courtesy
Robert Miller Gallery, New York

Sans titre, 1991
Encre, crayon de couleur, pastel
et fusain sur papier
30,1 x 22,8 cm
Collection de l'artiste, courtesy
Robert Miller Gallery, New York
P. 125.

Sans titre, 1992 **
Gouache et crayon sur papier-
calque
26 x 60,3 cm

Collection de l'artiste, courtesy
Robert Miller Gallery,
New York

Sans titre, 1992
Gouache sur papier-calque
17,7 x 21,5 cm
Courtesy Galerie Karsten Greve,
Cologne, Paris, Milan
P. 127.

Untitled (Legs and Bones),
1993 *
Encre, crayon, cire et fusain sur
papier bleu
37,1 x 58,7 cm
Collection Galerie Karsten Greve,
Cologne, Paris, Milan
P. 56.

Sans titre, 1993 **
Encre, aquarelle et plume sur
papier
30,5 x 20,3 cm
Collection de l'artiste, courtesy
Robert Miller Gallery, New York

Araignée, 1994 **
Aquarelle sur papier
25,4 x 20,3 cm
Collection de l'artiste, courtesy
Robert Miller Gallery, New York

Araignée, 1994 **
Crayon sur papier
9,8 x 29,2 cm
Collection de l'artiste, courtesy
Robert Miller Gallery, New York

Araignée (dyptique), 1994 **
Gouache, encre colorée, plume
et crayon sur papier
29,8 x 29,2 cm
Collection de l'artiste, courtesy

Robert Miller Gallery,
New York

Araignée, 1994 **
Huile sur bois
20,3 x 24,7 cm
Collection Galerie Karsten Greve,
Cologne, Paris, Milan

Tritptych for the Red Room,
1994 **
Gravure pointe-sèche, eau-forte
70,5 x 79,4 cm
70,5 x 106,7 cm
70,5 x 95,3 cm
Collection Peter Blum Edition,
New York

Mirror for Red Room, 1994
Aquarelle et encre sur papier
30,4 x 22,8 cm
Collection de l'artiste, courtesy
Robert Miller Gallery, New York
P. 215.

Sans titre, 1994 **
Aquarelle sur papier
Diam. 31,7 cm
Courtesy Galerie Karsten Greve,
Cologne, Paris, Milan, et Robert
Miller Gallery, New York

Sans titre, 1994 **
Aquarelle et crayon de couleurs
sur papier
Diam. 31,7 cm
Courtesy Galerie Karsten Greve,
Cologne, Paris, Milan, et Robert
Miller Gallery, New York

Spider, 1994
Crayon sur papier
29,8 x 29,2 cm
Collection de l'artiste, courtesy

Robert Miller Gallery, New York
P. 217, haut.

Spider, 1994
Aquarelle et gouache sur papier
29,8 x 29,2 cm
Courtesy Galerie Karsten Greve,
Cologne, Paris, Milan
P. 219.

Spider (La Femme araignée),
1994 **
Encre, aquarelle, gouache et
plume sur papier
27,9 x 21,5 cm
Collection Galerie Karsten Greve,
Cologne, Paris, Milan

Chronologie

1911

Louise Bourgeois est née à Paris le 25 décembre, de Joséphine Fauriaux et de Louis Bourgeois, propriétaires d'une galerie de tapisseries située boulevard Saint-Germain, en dessous de l'appartement familial.

Seconde fille de trois enfants, elle a une sœur aînée, Henriette, et un frère cadet, Pierre.

1912

Déménagement à Choisy-le-Roi, où la famille vivra jusqu'en 1918.

1919-1931

Acquisition d'une propriété à Antony, au bord de la Bièvre, où les Bourgeois organisent un atelier de restauration de tapisseries anciennes. Louise, douée pour le dessin, participe aux activités en complétant les motifs des tapisseries.

Élève brillante, elle fréquente le lycée Fénelon à Paris, dont elle garde un très bon souvenir.

Son père introduit dans la maison familiale sa maîtresse Sadie, jeune étudiante anglaise qui enseignera sa langue aux trois enfants pendant dix ans. Louise gardera toute sa vie rancœur de cette relation, subie avec patience par sa mère.

Cette période familiale est fondamentale pour Louise, conditionnant pour une large part sa vocation artistique. Sa mère, femme équilibrée et rationnelle, évoque en elle un sentiment de sécurité tandis qu'elle éprouve des liens plus passionnels avec son père, tour à tour immature, autoritaire et volage. Ces liens auront une grande incidence sur sa carrière d'artiste.

1932

Obtention du baccalauréat et mort de sa mère, malade depuis longtemps.

Entame des études de mathématiques à la Sorbonne, qu'elle abandonne très vite, découragée par l'algèbre.

Elle se tourne alors vers des études artistiques et, après avoir fui l'académisme des Beaux-Arts, elle fréquente un certain nombre d'académies (Ranson, Julian, Colarossi, la Grande Chaumière), en quête d'« authenticité ». Elle suit par ailleurs les enseignements de Paul Colin, André Lhote, Roger Bissière, Gromaire et Fernand Léger, qui l'aidera à s'orienter vers la sculpture.

Parallèlement, elle participe à de petites expositions.

1938

Louise épouse Robert Goldwater, historien d'art américain rencontré un an plus tôt. Ils partent vivre à New York. Elle s'inscrit à la Art Students League et y suit l'enseignement de Vaclav Vytlacil. Le couple a trois garçons, Michel, adopté avant son départ de France, Jean-Louis, né en 1940, et Alain, né quinze mois plus tard.

1939

Louise commence à exposer aux Etats-Unis, notamment en présentant des gravures à l'exposition de la « Fine Prints for Mass Production » au Brooklyn Museum, New York.

1941

Elle participe à l'effort de guerre en organisant quelques expositions (Masson, Calder...) et en prenant part aux manifestations « Art for Victory ».

1945

Organise l'exposition « Documents France 1940-1944 : l'art, la littérature et la presse dans la clandestinité » à la Norlyst Gallery, New York.

Première exposition personnelle à la Bertha Schaefer

LOUISE BOURGEOIS AVEC ROBERT RAUSCHENBERG

Gallery, New York. Elle participe (et ce quasi annuellement jusqu'en 1962) à l'« Annual Exhibition of Contemporary American Painting » du Whitney Museum of American Art, New York ainsi qu'à d'autres expositions collectives, souvent parmi des artistes de l'expressionnisme abstrait.

1946

Fréquente l'Atelier 17 de Stanley W. Hayter pour pratiquer la gravure. Elle rencontre plusieurs artistes tels que Le Corbusier, Ozenfant, Joan Miró, Marcel Duchamp, André Breton et Yves Tanguy.

Participe à plusieurs expositions collectives de la Bertha Schaefer Gallery.

1947

Deuxième exposition personnelle à la Norlyst Gallery qui présente dix-sept de ses peintures.

Louise publie en même temps *He Disappeared into Complete Silence*, série de gravures et de poèmes réalisée à l'Atelier 17.

Commence un travail de sculptures aux formes verticales élancées, principalement en bois.

1949

Première exposition de ses sculptures à la Peridot Gallery, New York.

1950

Proteste avec le groupe « Les Irascibles » contre la programmation conservatrice de peinture américaine au Metropolitan Museum of Art, New York.

Seconde exposition personnelle à la Peridot Gallery.

1951

Mort de son père. Louise prend la nationalité américaine.

Acquisition par le MoMA de sa sculpture *Sleeping Figure* (1950).

1951-1960

Les sculptures se transforment en assemblages verticaux, parfois spiralés, de fragments en bois, plâtre, etc.

Participe à de nombreuses expositions collectives dans des musées (« Annuals » du Whitney Museum of American Art, MoMA, Riverside Museum, New York, etc.) et expose seule dans des galeries (Peridot Gallery, Stable Gallery, Allan Frumkin, etc.).

1960

Participe à l'exposition de groupe « Aspects de la sculpture américaine » à la galerie Claude Bernard, Paris.

1961-1965

Enseigne l'art dans les écoles publiques.

Participe à de nombreuses expositions collectives (Whitney Museum of American Art, MoMA, The Sculptors' Guild. Inc., Noah Goldowsky Gallery, Sachs Gallery, New York, Washington Gallery of Art, Washington, etc.) et fait deux expositions personnelles à la Rose Fried Gallery (dessins) et à la Stable Gallery (sculptures), New York.

Commence à utiliser des matériaux souples comme le latex, les résines, le tissu, dans des sculptures plus organiques.

1965

Expose à deux reprises au musée Rodin : lors du XVIIe Salon de la Jeune Sculpture d'abord, puis pour l'exposition « Les Etats-Unis : sculpture du XXe siècle » organisée par le MoMA.

1966

Participe à « Eccentric Abstraction » (avec notamment Bruce Nauman et Eva Hesse), exposition organisée par Lucy Lippard à la Fischbach Gallery, New York.

Collabore aux manifestations artistiques féministes, engagement qu'elle poursuivra jusque dans les années 1970.

1967

Découvre les carrières de marbre de Pietrasanta lors d'un premier voyage en Italie. Elle y retournera régulièrement jusqu'en 1972, travaillant aussi dans les fonderies locales.

1973

Décès de Robert Goldwater. Louise reçoit l'Artist's Grant du National Endowment for the Arts.

1974

Expose, entre autres, la sculpture environnementale *The Destruction of the Father* à l'exposition que lui consacre la Galerie 112 Greene Street à New York.

LOUISE BOURGEOIS AVEC JEAN ARP

Enseigne dans diverses institutions (Columbia University, Cooper Union, New York Studio School, Yale University).

1975

Réalisation par Lynn Blumenthal et Kate Horsfield d'un entretien filmé de Louise Bourgeois (production Video Data Bank, School of the Art Institute of Chicago, 30 mn).

1978

Elle est nommée docteur « honoris causa » de la section beaux-arts de la Yale University.

Deux expositions personnelles lui sont consacrées à New York, « Triangle : New Sculpture and Drawings » à la Xavier Fourcade Gallery et « New Work » à la Hamilton Gallery, où elle réalise *A Banquet / A Fashion Show of Body Parts*, performance autour de sa sculpture *Confrontation*.

Réalise sa première sculpture dans l'espace public pour le Norris Cotton Federal Building, Manchester, New Hampshire.

1979

Exposition personnelle à l'University Art Gallery de Berkeley et début d'une véritable reconnaissance.

1980

Elle réalise deux expositions personnelles, « The Iconography of Louise Bourgeois », à la Max Hutchinson Gallery, avec des peintures anciennes, des dessins et des gravures, et « Louise Bourgeois Sculpture : The Middle Years 1955-1970 » chez Xavier Fourcade, qui présente des pièces en marbre, bronze et granit.

Acquisition d'un atelier à Brooklyn.

1981

Présentation par la Renaissance Society de l'Université de Chicago de « Louise Bourgeois : Femme maison », regroupement de sculptures des années 1940 à 1970.

Voyage en Italie pour travailler le marbre à Carrare.

Elle est élue membre de l'American Academy of Arts and Sciences à New York.

1982

Deborah Wye organise au MoMA la première grande rétrospective de l'œuvre de Louise Bourgeois, qui confirme définitivement sa reconnaissance (l'exposition ira au Contemporary Art Museum de Houston, au Museum of Contemporary Art de Chicago et à l'Akron Art Museum dans l'Ohio). Simultanément, la Robert Miller Gallery présente « Bourgeois Truth », premier volet d'une collaboration qui dure encore aujourd'hui.

1983

Réalisation par le MoMA et l'Easton Foundation de « Partial Recall » (18 mn), film retraçant la vie de Louise Bourgeois.

1984

Deuxième exposition personnelle chez Robert Miller, avec ses dernières sculptures.

Son œuvre est présenté en Californie, à la Weinberg Gallery de Los Angeles et de San Francisco.

Louise Bourgeois est nommée officier de l'ordre des Arts et des Lettres par le ministre français de la Culture.

1985

La galerie Maeght-Lelong accueille à Paris la première exposition personnelle de Louise Bourgeois en France.

Exposition personnelle à la Serpentine Gallery, Londres.

Louise reçoit la médaille de sculpture de la Skowhegan School of Painting and Sculpture.

1986

Expositions personnelles chez Robert Miller (sculptures récentes) et à la Texas Gallery, Houston (sculptures et dessins).

1987

Louise Bourgeois présente une douzaine de peintures anciennes à la Robert Miller Gallery.

L'exposition itinérante « Louise Bourgeois » commence au Taft Museum de Cincinnati (tour 1987/1989 : The Art Museum at Florida International University, Miami ; Laguna Gloria Art Museum, Austin, Texas ; Gallery of Art, Washington University, Saint Louis, Missouri ; Henry Art Gallery, Seattle ; Eversin Museum of Art, Syracuse, NY).

1988

La galerie Robert Miller expose cent soixante-dix-huit dessins de l'artiste réalisés entre 1939 et 1987.

Exposition personnelle d'œuvres sur papier au Museum Overholland, Amsterdam.

1989

Nombreuses expositions personnelles dans les galeries Robert Miller, Lelong, Sperone-Westwater, New York, Lelong, Paris et Zurich, Rhona Hoffman, Chicago ainsi qu'à la Dia Art Foundation de Bridgehampton, NY, et à la Art Gallery of York University, York (Canada).

Première grande rétrospective itinérante européenne organisée par Peter Weiermair au Kunstverein de Francfort (tour 1989-1991 :

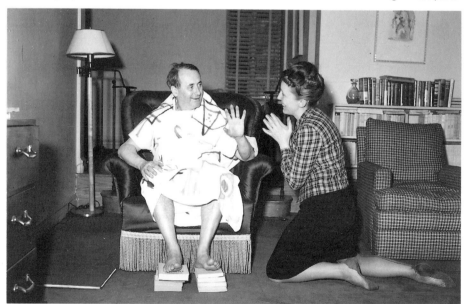

LOUISE BOURGEOIS AVEC JOAN MIRÓ

Städtische Galerie im Lenbachhaus, Munich ; Musée d'art contemporain, Lyon ; Fundació Tàpies, Barcelone ; Kunstmuseum, Berne ; Kunstmuseum, Lucerne ; Rijksmuseum Kröller-Müller, Otterlo).

Louise Bourgeois participe à l'exposition « Les Magiciens de la Terre » au Centre Georges Pompidou et à la Grande Halle de la Villette, Paris.

1990
Nombreuses expositions personnelles de sculptures, gravures et dessins dans des galeries aux Etats-Unis et en Europe : Linda Cathcart Gallery, Santa Monica ; Barbara Gross Galerie, Munich ; Karsten Schubert Gallery, Londres ; Galerie Krinzinger, Vienne ; Karsten Greve, Cologne ; Ginny Williams Gallery, Denver, Colorado; Riverside Studios, Londres ; Galerie Monika Sprüth, Cologne.

1991
Louise Bourgeois reçoit le grand prix national de sculpture du ministère français de la Culture.

« L'Œuvre gravé », exposition organisée par la galerie Lelong à Zurich, rassemble entre autres les recueils *He Disappeared into Complete Silence* et *The Puritan*.

Louise Bourgeois montre ses sculptures récentes chez Robert Miller et expose à la Ydessa Hendeles Art Foundation de Toronto.

Pour « Dislocations », exposition collective montée au MoMA par Robert Storr, elle présente sa sculpture mobile *Twosome*.

Début de la série des *Cells*.

1992
Pour « The Fabric Workshop's 15th Anniversary Annual Benefit Honoring Louise Bourgeois and Anne d'Harnoncourt », Louise Bourgeois présente *She Lost it*, banderole de tissu imprimée de « A man and a woman lived together ».

Participe à la Documenta IX de Cassel avec *Precious Liquids* et à plusieurs expositions personnelles en Amérique du Nord (Toronto, Southampton, Milwaukee, Boston) et en Islande (Reykjavik).

Karsten Greve présente les dernières sculptures de Louise Bourgeois à Paris.

1993
Représentante des Etats-Unis à la biennale de Venise, Louise Bourgeois, en collaboration avec le Brooklyn Museum, montre ses œuvres récentes.

Entretiens avec Bernard Marcadé et Jerry Gorovoy pour une vidéo réalisée par Camille Guichard (coproduction Terra Luna Films / Centre Georges Pompidou, 52 mn).

Participe à « Et tous ils changent le monde », 2e biennale d'art contemporain de Lyon et à de nombreuses expositions personnelles : Laura Carpenter Fine Arts, Santa Fe (Nouveau Mexique) ; Linda Cathcart Gallery, Santa Monica

LOUISE BOURGEOIS AVEC ANDY WARHOL

(Californie) ; Ginny Williams Family Foundation, Denver (Colorado) ; Galerie Ramis Barquet, Monterrey (Mexique) ; Jan Weiner Gallery, Topeka (Kansas) ; Galerie Karsten Greve, Cologne.

Louise Bourgeois poursuit la réalisation des *Cells* et reçoit des commandes publiques pour Chicago et Choisy-le-Roi.

1994
Réalisation par Nigel Finch d'un film sur Louise Bourgeois (production Arena Films-BBC, Londres, 54 mn).
Le Brooklyn Museum organise « Louise Bourgeois : The Locus of Memory, Works 1982-1993 », grande exposition des œuvres depuis 1982, reprise ensuite par la Corcoran Gallery de Washington avant d'effectuer un tour en Europe. Autres expositions personnelles au Kestner-Gesellschaft, Hanovre (sculptures et installations), chez Peter Blum, New York (autour de ses derniers environnements

The Red Rooms), et au MoMA, New York (rétrospective de l'œuvre gravé). Elle participe également à l'exposition « This is the show and the show is many things » au Museum van Hedendaagse Kunst de Gand.

1995
Le cabinet d'art graphique du Musée national d'art moderne, Centre Georges Pompidou, Paris présente « Pensées-plumes », un ensemble de dessins de Louise Bourgeois. Simultanément, la Bibliothèque nationale de France reprend la rétrospective des gravures du MoMA dans la galerie Colbert à Paris, et la galerie La Box à Bourges montre une série de dessins.

Le Musée d'art moderne de la Ville de Paris consacre à Louise Bourgeois une grande rétrospective regroupant des sculptures, des environnements et des dessins de 1938 à aujourd'hui.
Réalisation par Brigitte Cornand du film *Chère Louise* produit par Canal + et les Films du Siamois.

Bibliographie sélective

PUBLICATIONS ET ÉCRITS DE L'ARTISTE

He Disappeared into Complete Silence (neuf gravures et poèmes), Gemor Press, New York, 1947; seconde parution dans *Harvard Advocate*, n° 65, 1982.
The Puritan (trente gravures et textes), Osiris Editions, New York, 1990.
Anatomy (douze planches), Peter Blum Edition, New York, 1990.
Quarantania (neuf eaux-fortes gravées), Galerie Lelong, Paris, 1990.
Homely Girl, A Life (pointes-sèches et photolithographies) en collaboration avec Arthur Miller (texte), Peter Blum Edition, New York, 1992.
Album, Peter Blum Edition, New York, 1994.

Art Now, vol. 1, n° 7, septembre 1969.
« Fabric of Construction at MoMA », *Craft Horizons*, vol. 29, 1969, pp. 30-35.
« Letter to the Editor », *Art in America*, vol. 60, janvier-février 1972, p. 123.
« A Project by Louise Bourgeois : Child Abuse », *Artforum*, décembre 1982, pp. 40-47 et couverture.
« In the works – Leading the artist reflect on their creation for the coming season… », *the New York Magazine*, 11 septembre 1988, p. 19.
« Louise Bourgeois », *Balcon* (Madrid), n° 8-9, 1992, pp. 44-50.
« Freud's Toys », *Artforum*, janvier 1990.
« Obsession », *Artforum*, avril 1992.
« Young Art : Miró at 100, Native Talent » (avec Rosalind Krauss, Robert Rosenblum, e. a.), *Artforum*, janvier 1994.

OUVRAGES ET CATALOGUES D'EXPOSITION

1964

Robbins, Daniel – *Drawings by Louise Bourgeois*, Rose Fried Gallery, New York.

1966

Lippard, Lucy R. – *Eccentric Abstraction*, Fischbach Gallery, New York.

1976

Lippard, Lucy R. – « Louise Bourgeois : From the Inside Out », *In From the Center : Feminist Essays on Women's Art*, éd. E.P. Dutton, New York.

1977

Conway, Madeleine et Nancy Kirk – « Louise Bourgeois », *Artists' Cookbook*, Museum of Modern Art, New York.
Wye, Deborah – « Louise Bourgeois », *From Women's Eyes*, Rose Art Museum, Brandeis University, Waltham, Massachusetts.

1978

Wye, Deborah (introduction) – *Matrix/Berkeley 17 : Louise Bourgeois*, Berkeley Art Museum, University of California, Berkeley, Californie.

1980

Gorovoy, Jerry – *The Iconography of Louise Bourgeois*, Max Hutchinson Gallery, New York.

1981

Marandel, Patrice J. – « Louise Bourgeois : From the Inside », *Louise Bourgeois : Femme maison*, The Renaissance Society, University of Chicago.

1982

Wye, Deborah – *Louise Bourgeois*, Museum of Modern Art, New York.

1985

Frémon, Jean – *Louise Bourgeois*, Serpentine Gallery, Londres.
Frémon, Jean – *Louise Bourgeois : Rétrospective 1947-1984*, Repères/Cahiers d'art contemporain, Galerie Maeght-Lelong, Paris.
Frémon, Jean et Robert Storr – *Louise Bourgeois : Retrospektive 1947-1984*, Galerie Maeght-Lelong, Zurich.

1986

Gorovoy, Jerry – *Louise Bourgeois and the Nature of Abstraction*, Bellport Press, New York.

1987

Morgan, Stuart – *Louise Bourgeois*, The Taft Museum, Cincinnati, Ohio.

1988

Kuspit, Donald – *Bourgeois* (entretien avec Louise Bourgeois), Elisabeth Avedon Editions / Vintage Contemporary Artists, New York.
Storr, Robert – *Louise Bourgeois Drawings*, Robert Miller, New York / Daniel Lelong, Paris.
Louise Bourgeois, Works on Paper, Museum Overholland, Amsterdam.

1989

Meyer-Thoss, Christiane – « Begegnung mit Louise Bourgeois », *Louise Bourgeois, 100 Zeichnungen 1939-1989*, Galerie Lelong, Zurich.
Weiermair, Peter avec Rosalind Krauss, Lucy Lippard, Thomas Mc Evilley – *Louise Bourgeois*, Frankfurter Kunstverein, Francfort.

1990

Louise Bourgeois, Musée d'art contemporain, Lyon.

1992

Igliori, Paola – *Entrails, Heads & Tails*, Rizzoli, New York.
Meyer-Thoss, Christiane – *Louise Bourgeois : Designing for Free Fall*, Amman Verlag, Zurich.

1993

Kotik, Charlotta – *Louise Bourgeois : Recent Work*, (catalogue de sa participation à la biennale de Venise), The Brooklyn Museum, New York.

1994

Ahrens, Carsten avec Barbara Catoir, Doris von Drathen, Jerry Gorovoy et Robert Storr – *Louise Bourgeois, Skulpturen und Installationen*, édition Carl Haenlein / Kestner Gesellschaft, Hanovre.
Kotik, Charlotta avec Christian Leigh et Terrie Sultan – *Louise Bourgeois, the Locus of Memory, Works 1982-1993*, The Brooklyn Museum, New York.
Wye, Deborah et Carol Smith – *The Prints of Louise Bourgeois*, MoMA / Abrams, New York.

1995

Bernadac, Marie-Laure – *Louise Bourgeois*, Flammarion, Paris.
Bernadac, Marie-Laure et Deborah Wye – *Louise Bourgeois Pensées-plumes*, éditions du Centre Pompidou, Paris.
Breerette, Geneviève – *Louise Bourgeois*, Ecole nationale des beaux-arts, Bourges.
Pernoud, Emmanuel – *Louise Bourgeois Estampes*, Bibliothèque nationale de France, Paris.

PÉRIODIQUES

1945

« Exhibition Review, Bertha Schaefer Gallery », *Artnews*, vol. 44, juin, pp. 30-37.

1947

« Exhibition Review, Norlyst Gallery », *Artnews*, vol. 46, novembre, p. 42.

1948

« Artists », *Magazine of Art*, vol. 41, décembre, p. 307.
Bewley, Marius – « An introduction to Louise Bourgeois », *the Tiger's Eye*, vol. 1, n° 7, 15 mars, pp. 89-92.
G., M. - « Debut as Sculptor at Peridot », *Artnews*, vol. 48, octobre, p. 46.

1950

G., R. - « Exhibition Review, Peridot Gallery », *Artnews*, vol. 49, octobre, p. 48.
Preston, Stuart - « 'Primitive' to Abstraction in Current Shows », *the New York Times*, 8 octobre, p. 9.

1953

Geist, Sydney – « Louise Bourgeois », *Art Digest*, vol. 27, 1ᵉʳ avril, p. 17.
Porter, Fairfield – « Exhibition Review, Peridot Gallery », *Artnews*, vol. 52, avril.

1956

Goldwater, Robert – « La sculpture actuelle à New York », *Cimaise*, vol. 4, novembre-décembre, pp. 24-28.
Hess, Thomas B. – « Mutt Furioso », *Artnews*, vol. 55, décembre, pp. 22-25, 64-65.
M., J. R. – « Whitney Annual », *Arts*, vol. 31, décembre, p. 52.

1958

Hess, Thomas B. – « Inside Nature », *Artnews*, vol. 56, février, p. 63.

1959

Berckelaers, F. L. – « Le choix critique », *l'Œil*, n° 49, janvier, pp. 28-30.
Ragon, Michel – « L'Art actuel aux Etats-Unis », *Cimaise*, janvier-mars, pp. 6-35.

1961

Pearlstein, Philip – « The Private Myth », *Artnews*, vol. 60, septembre, pp. 42-45, 62.

1962

Oeri, Georgine – « A propos of "The Figure" », *Quadrum : Revue Internationale d'Art Moderne* (Bruxelles), vol. 13, pp. 49-60.

1964

Edgar, Nathalie – « Exhibition Review, Stable Gallery », *Artnews*, vol. 62, janvier, p. 10.
Robbins, Daniel – « Sculpture by Louise Bourgeois », *Art International*, vol. 8, 20 octobre, pp. 29-31.

1966

Antin, David – « Another Category : Eccentric Abstraction », *Artforum*, vol. 5, novembre, pp. 56-57.
Bochner, Mel – « Eccentric Abstraction », *Arts*, vol. 41, novembre, p. 58.
Lippard, Lucy R. – « Eccentric Abstraction », *Art International*, vol. 10, pp. 28, 34-40.

1967

Andersen, Wayne – « American Sculpture : the Situation in the Fifties », *Artforum*, vol. 5, été, pp. 60-67.

1969

Elsen, Albert – « Notes on the Partial Figure », *Artforum*, vol. 8, novembre, pp. 58-63.
Rubin, William – « Some Reflections Prompted by the Recent Work of Louise Bourgeois », *Art International*, vol. 8, avril, pp. 17-20.

1970

Art International, vol. 14, février, couverture.
Glueck, Grace – « Women Artists Demonstrate at Whitney », *the New York Times*, 12 décembre.

1971

Marandel, Patrice – « Louise Bourgeois », *Art International*, vol. 15, 20 décembre, pp. 46-47.
Nemser, Cindy – « Forum : Women in Art », *Arts*, vol. 45, février, p. 18.
Nochlin, Linda – « Why have there been no great women artists ? », *Artnews*, vol. 69, janvier, p. 37.

1972

Alloway, Lawrence – « Art », *The Nation*, vol. 214, 27 mars, pp. 413-414.

1975

Baldwin, Carl R. – « Louise Bourgeois : an Iconography of Abstraction », *Art in America*, vol. 63, n° 2, mars-avril, pp. 82-83.

Lippard, Lucy R. – « Louise Bourgeois : from the Inside Out », *Artforum*, vol. 13, mars, pp. 26-33.

1976

Alloway, Lawrence – « Women's Art in the 70's », *Art in America*, vol. 64, mai-juin, pp. 64-72.

Bloch, Susi – « An Interview with Louise Bourgeois », *the Art Journal*, vol. 35, n° 4, été, pp. 370-373.

Robins, Corinne – « Louise Bourgeois : Primordial Environments », *Arts*, vol. 50, juin, pp. 81-82.

1978

Ashbery, John – « Art / Anxious Architecture », *New York*, vol. 2, n° 42, 16 octobre, pp. 161-163.

Gibson, Eric – « New York Letter, Louise Bourgeois », *Art International*, vol. 22, novembre-décembre, p. 67.

Marandel, Patrice – « Louise Bourgeois », *Arts*, vol. 53, octobre, p. 17.

Ratcliff, Carter – « Louise Bourgeois », *Art International*, vol. 22, novembre-décembre, pp. 26-27.

Zucker, Barbara – « Exhibition Review, Xavier Fourcade and Hamilton Galleries », *Artnews*, vol. 77, novembre, pp. 177-179.

1979

Lippard, Lucy R. – « Complexes : Architectural Sculpture in Nature », *Art in America*, vol. 67, janvier-février, pp. 87-88, 93.

Munro, Eleanor – « The Rise of Louise Bourgeois », *Ms. Magazine*, vol. 8, juillet, pp. 65-67, 101-102.

Pels, Marsha – « Louise Bourgeois : a Search for Gravity », *Art International*, vol. 23, octobre, pp. 46-54.

Rickey, Carrie – « Louise Bourgeois, Xavier Fourcade Gallery », *Artforum*, vol. 18, décembre, p. 72.

Russell, John – « Art : the Sculpture of Louise Bourgeois », *the New York Times*, 5 octobre.

1980

« Exhibition Review, Max Hutchinson Gallery and Xavier Fourcade, Inc. », *Artnews*, vol. 79, décembre, p. 189.

Cohen, Ronny H. – « Louise Bourgeois, Max Hutchinson Gallery », *Artforum*, vol. 19, novembre, p. 86.

Gardner, Paul – « The Discreet Charm of Louise Bourgeois », *Artnews*, vol. 79, février, pp. 80-86.

Larson, Kay – « For the First Time Women are Leading Not Following », *Artnews*, vol. 79, octobre, pp. 64-72.

Ratcliff, Carter – « Louise Bourgeois », *Vogue*, vol. 70, n° 10, octobre, pp. 343-344, 375-377.

1981

Larson, Kay – « Louise Bourgeois : her Re-emergence feels like a Discovery », *Artnews*, vol. 80, mai, p. 77.

Lippard, Lucy R. – « The Blind Leading the Blind », *Bulletin of the Detroit Institute of the Arts*, vol. 59, pp. 24-29.

Ratcliff, Carter – « Louise Bourgeois at Max Hutchinson and Xavier Fourcade », *Art in America*, vol. 69, février, p. 145.

1982

Frank, Peter – « Bourgeois Pleasures at MoMA », *Harpers Bazaar*, novembre, pp. 3, 252.

1983

Ratcliff, Carter – « New York : Louise Bourgeois at the Museum of Modern Art », *Flashart*, n° 110, janvier, p. 62.

Rose, Barbara – « Two American Sculptors : Louise Bourgeois and Nancy Graves », *Vogue*, janvier, pp. 222-223.

Storr, Robert – « Louise Bourgeois : Gender & Possession », *Art in America*, vol. 71, n° 4, avril, pp. 128-137.

Curtis, Cathy – « Louise Bourgeois : Blending Emotive Dualities », *Artweeks*, vol. 14, n° 32, 1er octobre.

1984

« Album : Louise Bourgeois », *Arts*, vol. 59, n° 1, septembre, pp. 48-49.

Gardner, Colin – « Louise Bourgeois : an Outspoken Woman », *Artweek*, vol. 15, n° 40, 24 novembre, p. 1.

Silverthorne, Jeanne – « Louise Bourgeois at Robert Miller Gallery », *Artforum*, vol. 23, n° 4, décembre, pp. 81-82.

Thurman, Edith – « Artist's Dialogue, Passionate Self-expression, the Art of Louise Bourgeois », *Architectural Digest*, novembre, pp. 234-246.

1985

« Louise Bourgeois : la vieille dame phallique », *Libération*, 16 février.

Bellony-Rewald, Alice – « Paris : Louise Bourgeois », *Beaux-Arts*, février, p. 84.

Breerette, Geneviève – « Les sculptures autobiographiques de Louise Bourgeois », *le Monde*, 2 mars, p. 15.

Cabanne, Pierre – « Louise Bourgeois : sculpteur pour tuer le père », *le Matin*, 18 février.

Dagen, Philippe – « Louise Bourgeois », *le Quotidien de Paris*, 14 février.

Huser, France – « Papa, je te mangerai », *le Nouvel Observateur*, 8 février, p. 7.

Kesser, Caroline – « (Frauen-) Körper zwischen Fragilität und Stärke », *Kunst*, 12 avril, p. 46.

Lebovici, Elisabeth – « Louise Bourgeois : toujours », *l'Evénement du jeudi*, 18 février.

1986

Morgan, Stuart – « Louise Bourgeois at Robert Miller », *Artscribe*, septembre-octobre.

1987

Brunson, Jamie – « An Art of Personal Exorcism », *Artweek*, vol. 18, n° 39, 21 novembre, p. 1 et couverture.
Frémon, Jean – « Louise Bourgeois », *New Observations*, n° 50, septembre, pp. 8-11.
Kuspit, Donald – « Louise Bourgeois – Where Angels Fear to Tread », *Artforum*, mars, pp. 115-120.
Rose, Barbara – « Sex, Rage & Louise Bourgeois », *Vogue*, septembre, pp. 764-765, 826.

1988

Revue des dessins de Louise Bourgeois de 1940 à 1953, *Drawing*, vol. 10, n° 3, septembre-octobre, p. 64.
Galligan, Gregory – « Strangely Sane », *Art International*, été, p. 48.
Gardner, Paul – « Louise Bourgeois Makes a Sculpture », *Artnews*, été, pp. 61-64.
Glowen, Ron – « Louise Bourgeois Comes into her Own, Trajections of a long Career », *Artweek*, vol. 19, n° 43, 17 décembre, p. 1.
Linker, Kate – « Louise Bourgeois », *Artforum*, avril, p. 145.
Malen, Lenore – « Louise Bourgeois », *Artnews*, avril, p. 140.
Morgan, Stuart – « Taking Cover :

Louise Bourgeois Interviewed by Stuart Morgan », *Artscribe*, janvier-février, pp. 30-34.

1989

Gardner, Paul – « Louise Bourgeois », *Contemporanea*, vol. 2, n° 7, octobre, pp. 65-69.
Händler, Ruth – « Die Macht der Emotionen brechen », *Art*, n° 12, décembre, pp. 114-116.
Kirili, Alain – « The Passion for Sculpture, a Conversation with Louise Bourgeois », *Arts*, vol. 63, n° 7, mars, pp. 68-75.
Morgan, Robert C. – « Eccentric Abstraction and Postminimalism », *Flashart*, n° 144, janvier-février, pp. 73-81.
Princethal, Nancy – « Bourgeois with a Vengeance », *Sculpture*, vol. 8, n° 4, juillet-août, pp. 20-23 et couverture.
Schwendenwein, Jude – « Louise Bourgeois at Robert Miller & Galerie Lelong », *Artscribe International*, novembre-décembre, pp. 80-81.
Yau, John – « New York », *Contemporanea*, vol. 2, n° 5, juillet-août, pp. 30-31.

1990

« Le retour de l'artiste prodige », *C'est 9 à Lyon*, juillet-août.
« Louise Bourgeois », *le Monde*, 26 juillet.
« Louise Bourgeois per la prima della Fundació Tàpies », *Il Giornale dell'Arte*, n° 84, décembre.
« Louise Bourgeois Retrospective », *Flashart News*, n° 150, janvier-février, p. 145.

Bost, Bernadette – « Les tanières de Louise Bourgeois », *le Monde Rhône-Alpes,* 14 juillet.
Huther, Christian – « Louise Bourgeois – Die erste europäische Retrospektive », *Kunstforum International*, n° 106, mars-avril, pp. 306-307.
Kirili, Alain – « Louise Bourgeois la résistante », *Kanal Magazine*, octobre.
Smulden, Caroline – « Louise Bourgeois », *Art Press*, n° 151, octobre.
Storr, Robert – « Louise Bourgeois », *Galeries Magazine*, n° 37, juin-juillet, pp. 94-103, 140 et couverture.
T., D. – « Les obsessions de Louise », *Lyon Matin*, 17 juillet.
Weiermair, Peter – « Louise Bourgeois », *Noema*, n° 32, septembre-octobre, pp. 74-79.
Westkott, Hanne – « Die Bildehauerin Louise Bourgeois », *Artis*, février, pp. 30-35.
Whitington, G. Luther – « The Tiger's Lair », *Art & Auction*, vol. 12, n° 10, mai, pp. 226-231.

1991

« Sculture del Re nei giardini di Montecarlo », *Il Giornale dell'Arte*, n° 89, mai, p. 27.
Bellasi, Pietro – « Hands off Art… and so be it », *Tema Celeste* (édition internationale), n° 30, mars-avril, pp. 16-17.
Borja-Villel, Manuel J. – « Louise Bourgeois's Défi », *Parkett*, n° 27, mars, pp. 37-43.
Donis, Giacomo – « Il 'fare'

dell'arte », *Tema Celeste* (édition internationale), n° 30, mars-avril, p. 97.
Gardner, Paul – « What Artists like about the Art, they like when they don't know why », *Artnews*, vol. 90, n° 8, octobre, pp. 116-121.
Helfenstein, Josef – « The Power of Intimacy », *Parkett*, n° 27, mars, pp. 27-33.
Heymer, Kay – « Louise Bourgeois / Long Standing Singular Figure », *Flashart*, vol. 24, n° 158, mai-juin, p. 135.
Jones, Alan – « Only the Imagination can save us now », *Tema Celeste* (édition internationale), n° 30, mars-avril, p. 32.
Larson, Kay – « New York, Dislocations », *Galeries Magazine*, n° 46, décembre 1991-janvier 1992, pp. 54-57.
Meyer-Thoss, Christiane – « I am a woman with no secrets » (notes de Louise Bourgeois), *Parkett*, n° 27, mars, pp. 37-43.
Nixon, Mignon – « Pretty as a Picture », *Parkett*, n° 27, mars, pp. 48-54.
Paparoni, Demetrio – « Louise Bourgeois » (entretien), *Tema Celeste* (édition italienne), n° 30, mars-avril, p. 32.
Szeeman, Harald – « The Fount of Youth », *Parkett*, n° 27, mars, pp. 71-74.
Treat, Carolyn – « Louise Bourgeois : Art is a Guarantee for Sanity », *Kunst & Museumjournaal*, vol. 2, n° 6, pp. 54-57.

1992

« Documenta IX », *Flashart*, octobre, p. 89.

« La Documenta se mouille », *Libération*, 17 juin, p. 37.

« Louise Bourgeois », *Art Presence*, novembre-décembre, pp. 28-29.

Bonami, Francesco – « Dislocations : the Place of Installations », *Flashart*, vol. 25, n° 162, janvier-février, p. 128.

Cotter, Holland – « Dislocating the Modern », *Art in America*, vol. 80, n° 1, janvier, pp. 100-106 et couverture.

Dagen, Philippe – « La dame de verre et de fer », *le Monde*, 4 décembre, p. 13.

Davenport, Seonaidh – « Spectrum », *Artnews*, vol. 91, n° 1, janvier, p. 23.

Deichter, David – « Art on the Installation Plan », *Artforum*, vol. 30, n° 5, janvier, pp. 78-84 et couverture.

Gauville, Hervé – « Commentaire : l'incontinence de l'art », *Libération*, 17 juin, pp. 38-39.

Geldzahler, Henry – « Louise Bourgeois », *Interview*, mars, pp. 98-103, 127.

H., Ch. – « Louise Bourgeois ou la poésie », *le Quotidien de Paris*, 21 décembre.

Heartney, Eleanor – « Dislocations : Museum of Modern Art », *Artnews*, vol. 91, n° 1, janvier, p. 117.

Leigh, Christian – « Rooms, Doors, Windows : Making Entrances and Exits (when necessary). Louise Bourgeois's Theatre of the Body », *Balcon*

(Madrid), n° 8-9, pp. 29-38, 38-43.

Meyer-Thoss, Christiane – « Kunst : Drei Documenta-Künstler, drei Lebensalter, drei Kunstrichtungen : Bourgeois », *Vogue* (édition allemande), n° 6, pp. 178-181.

Morgan, Stuart – « Le corps en morceaux », *Beaux-Arts*, n° 102, juin, pp. 80-89.

Morgan, Stuart – « Les totems et les tabous de Louise Bourgeois », *Beaux-Arts*, n° 106, novembre, pp. 88-96.

Pagel, David – « Reviews : from Brancusi to Bourgeois, Aspects of the Guggenheim Collection », *Artforum*, octobre, pp. 107-108.

Rose, Barbara – « (Barbara Rose's Journal) The Name Game », *Art & Auction*, mai, pp. 56-58.

Spector, Nancy – « Art and Objecthood », *Tema Celeste*, n° 37-38, automne, pp. 84-86 et couverture.

Storr, Robert – « Géométries intimes : l'œuvre et la vie de Louise Bourgeois », *Art Press*, n° 175, décembre, pp. 12-18, E1-E5.

Wye, Pamela – « Louise Bourgeois », *Arts*, janvier, p. 62.

1993

Couturier, Elisabeth – « La France découvre enfin Louise Bourgeois », *Paris Match*, 7 octobre.

Ferguson, Bruce – « Review », *Canadian Art Magazine*, vol. 10, n° 3, automne, pp. 78-81.

Galloway, David – « Documenta

IX : the Bottom Line », *Art in America*, septembre, pp. 63, 100-107.

Jacobsen, Howard – « Bacon and Bourgeois save the Biennale but leave the Olive in a Pickle », *Modern Painters*, vol. 6, n° 2, été, pp. 10-13.

Lösel, Anja – « Grande Dame in Gummistiefeln », *Stern*, juin, pp. 138-139.

McEvilley, Thomas – « Louise Bourgeois Fabric Workshop », *Artforum*, été, p. 113.

Madoff, Steven Henry – « Venice : we are the World? », *Artnews*, septembre, pp. 184-185.

Maxwell, Douglas – « Louise Bourgeois », *Modern Painters*, vol. 6, n° 2, été, pp. 38-43 et couverture.

Nesbitt, Lois – « Louise Bourgeois », *Art & Antiques*, février, pp. 48-53.

Rochette, Anne – « Louise Bourgeois at Karsten Greve », *Art in America*, mai, pp. 128-129.

Seidner, David – « Louise Bourgeois », *Vogue* (édition française), juin-juillet, pp. 162-167, 182.

Sorman, Guy – « Star in America, Made in France : Louise Bourgeois », *le Figaro Magazine*, 23 janvier, pp. 108-110.

Spector, Nancy et Louise Bourgeois – « Louise Bourgeois at the Venice Biennale », *Guggenheim Magazine*, vol. 3, été, pp. 58-59.

Steir, Pat – « Mortal Elements », *Artforum*, été, pp. 86-87, 127.

Weingarten, Susanne – « Hässlich, roh und wehrlos »,

Der Spiegel, n° 40, 4 octobre, pp. 261-267.

1994

Bonami, Francesco – « Louise Bourgeois : in a strange way, things are getting better and better », *Flashart*, vol. 17, n° 174, janvier-février, pp. 36-39.

Dobbels, Daniel – « Doubler le silence », *Ninety* (spécial Louise Bourgeois), n°15, quatrième semestre, pp. 6-8.

Flohic, Catherine – « Louise Bourgeois, portrait », *Ninety* (spécial Louise Bourgeois), n°15, quatrième semestre, pp. 2-5.

Melrod, Georges – « A Conversation with Louise Bourgeois », *Atelier*, n° 812, octobre, pp. 32-34.

Puryear, Martin avec Nancy Spero et Lynda Benglis – « Louise Bourgeois : a Living Legacy », *Sculpture*, septembre-octobre, pp. 32-35.

1995

Dagen, Philippe – « La France consacre enfin Louise Bourgeois, sculpteur excentrique », *le Monde*, 15 février, p. 26.

Huser, France – « Lieux interdits », *le Nouvel Observateur*, 16 février.

Lebovici, Elisabeth – « Louise Bourgeois, au présent de l'enfance », *Libération*, 18-19 février, p. 32.

Vézin, Luc – « Louise Bourgeois dessine son passé à Beaubourg et le grave à la BN », *InfoMatin*, 3 février.

Crédits photographiques

ISBN 2-87900-230-3

© Paris-Musées, Éditions des
musées de la Ville de Paris ;
Éditions de la Tempête, 1995

Diffusion Paris-Musées
31, rue des Francs-Bourgeois
75004 Paris

Dépôt légal : juin 1995

Fabrication : Sabine Brismontier
assistée d'Audrey Chenu

Cet ouvrage est composé en
Helvetica Neue Light Ultra
Compressé et News Gothic

Flashage : Delta +, Paris
Photogravure : Pragmaphot, Châtillon
Papier : Ikonofix – spécial mat 135 g
Achevé d'imprimer sur les presses
de l'imprimerie de l'Indre à
Argenton-sur-Creuse, en juin 1995